月花の少女アスラ
～極悪非道の傭兵、転生して最強の傭兵団を作る～
author
葉月 双
illustration
水溜鳥

傭兵団《月花》メンバー
ユルキ・クーセラ
イーナ・クーセラ
団長
アスラ・リョナ

マルクス・レドフォード
サルメ・ティッカ
レコ
副団長
ルミア・カナール

「マティアスを……英雄マティアスを……殺してくれぬか？」
アーニア王国の王
アーニア王
英雄候補
プンティ・アルランデル
「君たちを腕試しに使わせてもらうよ」

アーニア王国憲兵団団長
シルシィ・ヘルミサロ
「わたくしたちは、あなたたちを逮捕することも……」
「単刀直入に聞くぜ？マティアスを殺したか？」
大英雄
アクセル・エーンルート
「なんであんたたちが裁くのよ！それって憲兵の仕事でしょ！？」
最速で英雄になった少女
アイリス・クレイヴン・リリ

部下が空を見上げた。
彼も釣られて空を見て、そして視界の端に人影が見えた。
民家の屋根の上から、こっちを見ている者たちがいる。
その中心で、銀髪の少女が笑っていた。
酷く薄暗く笑っていた。
彼は全身がゾワゾワした。
部下の顔に、花びらが触れる。
そして次の瞬間、
部下の顔が破裂した。

CONTENTS

一章

一話 P3
二話 P18
三話 P31
四話 P45
五話 P60
六話 P72
七話 P84

二章

一話 P96
二話 P113
三話 P124
四話 P138
五話 P151
六話 P165
七話 P180
八話 P195

三章

一話 P208
二話 P220
三話 P233
四話 P248
五話 P264
六話 P277
七話 P290
八話 P307

書き下ろしEP

〇一 P323

月花の少女アスラ

Asra, a girl under the moon

〜極悪非道の傭兵、転生して最強の傭兵団を作る〜

author
葉月 双
illustration
水溜鳥

アーニア王国東側周辺マップ

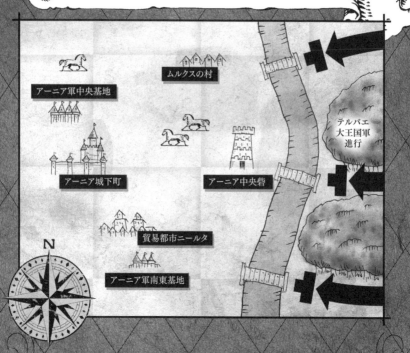

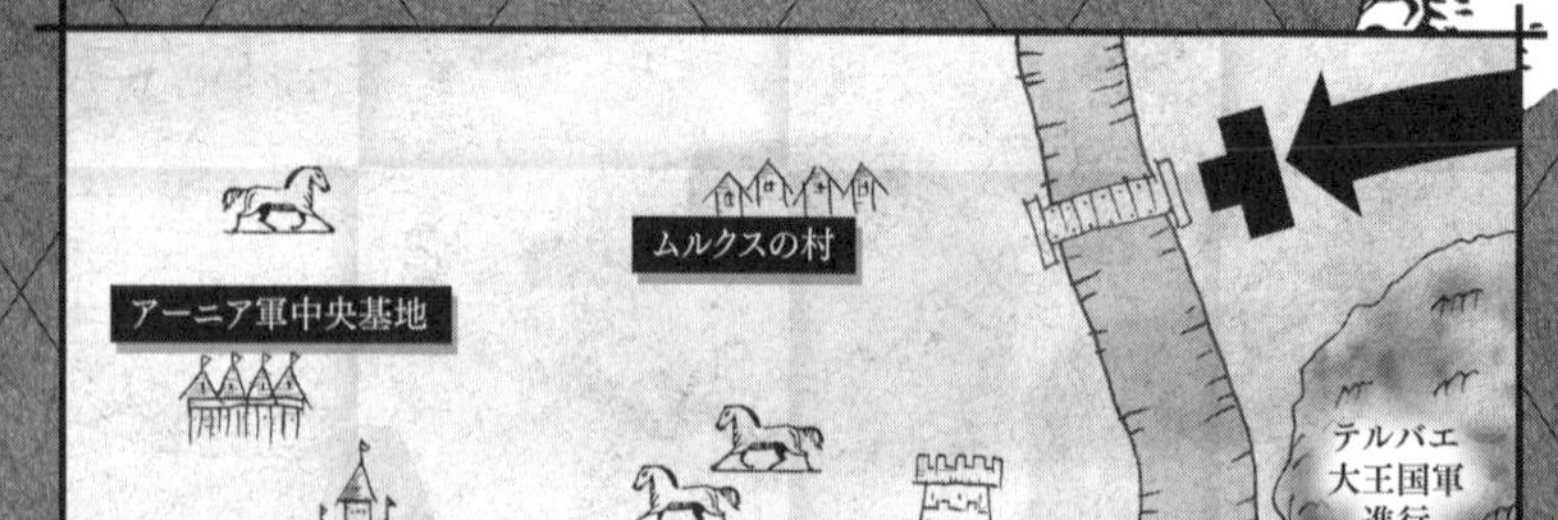

地図デザイン：木村デザイン・ラボ

一章　一話

一三歳で初めての殺し？　違うね、もっと前さ

森の中の一本道を、作戦目標である歩兵大隊が進んでいた。

右手に槍《やり》を、左手には盾を。腰に剣を帯び、革の鎧《よろい》を装備している。歩兵部隊の標準武装だ。

アスラは木陰に身を隠したまま、歩兵大隊の人数を数えた。

三中隊、約三〇〇人大隊といったところか。

アスラの傭兵《ようへい》団が請け負った最初の仕事だから、華々しく飾りたいところ。

アスラはこれから始まる戦闘を思って、気分が高揚した。

小さく深呼吸し、小さく笑ってから、ハンドサインでカウントする。

三、いいかい君たち、作戦通りにやるんだよ？
二、私たちは小隊で、相手は大隊だが、恐れることはない。
一、私たちは強い。

アスラが最後の指を折ったと同時に、副長のルミアが光属性の魔法を大隊に向けて放った。

この世界において、攻撃魔法は火力が低く、街の喧嘩《けんか》では使えても戦争では使えないというのが

一般常識。

よって、魔法使いは治療班としてしか出世できないでいた。

ルミアの魔法にも、火力など期待できない。

ああ、でも、私は魔法にロマンを感じるタイプでね。それに使い方次第さ、とアスラは思った。

唐突に光の玉が出現したので、敵の大隊は動きを止めて警戒した。

そして、
光の玉が目映《まばゆ》い閃光《せんこう》を放って弾け飛んだ。

「行け！　行け！　行け！」

アスラが叫び、仲間たちが森から道へと飛び出す。

敵大隊の前列は槍を落とし、自分の目を押さえて呻《うめ》いている。

「ははっ！　【閃光弾】は知らないかな!?」

長い銀髪をなびかせながら、アスラは跳躍する。

そのアスラに、仲間が風属性の支援魔法をかける。

「敵だ！　対応しろ！　敵だ！」

大隊後方で、目が眩《くら》まなかった者が叫んだ。

遅いよ、とアスラは笑う。

アスラは空中で桃色の花びらを七枚まいて、道の反対側に着地。支援魔法のおかげで跳躍力が上がっていたのだ。

この支援魔法ですら、対象は一人に限られるので、普通にフィジカルを鍛えた歩兵が数人いた方が有効とされている。

アスラの花びらが敵兵に触れると同時に、爆発。

火力は頭を吹き飛ばす程度だが、十分。頭がなければ人は死ぬのだから。

固有属性・花。それがアスラの魔法。一流と呼ばれる魔法使いにのみ発現する固有属性を用いても、火力はこの程度。

魔法は習得に時間がかかる割に、便利なだけという面が強い。魔法使いよりも戦士が重要視される理由だ。

アスラが跳躍して反対側に回っている間に、一人の歩兵が炎に巻かれてもがき苦しんでいた。

アスラの仲間である金髪の少年、ユルキの火属性魔法だ。

火属性の最大火力でも、一人焼き殺す程度。剣で斬った方が早いというのが通説。

しかし、敵を混乱させるという意味では非常に使える。何せ味方が火だるまになっているのだから。

ユルキは攻撃魔法を使ったあと、すぐに森の中へと駆け込んだ。

アスラに支援魔法を使ったイーナはすでに森の中。

そう、それでいい。ファイア・アンド・ムーブメント。撃ったら動け。

ルミアが短剣二刀流で、動きながら敵兵三人の喉を裂いてからアスラの隣へ。

相変わらず、舞うように滑らかで、そして的確な攻撃。

アスラの部隊でのメインウェポンは短剣。

その他の武器も状況によっては使用するが、今回は短剣のみだ。

と、唯一騎馬に乗っていた敵の大隊長が窒息した。

アスラの仲間——大男のマルクスが水球を相手の顔面に生成し、呼吸できなくしたのだ。

水属性は解毒や怪我の治療、あとは飲料水の生成が主で、攻撃にはほとんど意味がない。

水をかけても敵は止まらないが、窒息させれば別だ。

「ははっ！　君らの指揮官は今死んだぞ！　どうする⁉　まだやるかい⁉」

アスラは本当に楽しそうに言った。

できるなら、向かって来て欲しい。全滅させたい。そう強く願うのだが、この世界でも前世でも、指揮官がやられたらだいたいは降伏か撤退だ。

と、兵士の一人がアスラに突っ込んできた。

槍は落としたのだろう、剣を振り上げて向かって来た。

「援護なし、独断専行の特攻。バカだと思うけど、こういう混乱も戦争の醍醐味《だいごみ》だね」

アスラは右手で短剣を構え、左手でルミアに森に入れと指示した。

ルミアはすぐに指示通りに動く。

アスラは兵士の斬撃を小さな動作で躱《かわ》すと同時に、背後に回って兵士の膝の裏をブーツで思いっきり蹴りつけた。

兵士が崩れ落ちた。

「おや、ちょうどいいところに首があるね」

アスラは背後から腕を回し、短剣を滑らせる。

「私たちをただの魔法使いと思ったか？　残念、私たちは魔法兵さ。近接戦闘術も使えるんだよ」

兵士の絶命を確認してから、短剣を振って血を払って、森の中に入った。

アスラの表情が緩み、笑みが浮かぶ。

戦争だ。久しぶりのガチな戦争。

心が躍る。自然に笑ってしまう。

敵兵は最初のアタックだけで一三人が死亡。いい滑り出しだ。

さて、花びらでも撒《ま》くか。

アスラの花びらは地雷の代わりにも使える。

「引けぇ！　引けぇ！　森に入るな！　防御方陣を組め！」

敵の副長らしき男が言った。

賢明な判断だ、とアスラは思った。

生き残った敵兵たちが、一斉に陣形を整える。

こうなったら不利だ。木陰から魔法を撃っても、盾に弾かれる。

それに、魔法兵の真髄は急襲。そのあとは遮蔽物のある場所での戦闘。

だが、こうなることも想定して準備はしていた。

それに。

「プランＢへ移行！　合図を待て！」

アスラは持てる限りの声量で叫んだ。反対側の味方にも伝わったはずだ。

せっかく楽しくなってきたのだから、とことんやろうじゃないか。

「アスラ」

副長のルミアが不満そうに言った。

相変わらずハスキーでセクシーな声。

「なんだい？　何か問題かな？」

「わたしたちはすでに任務を果たしたわ。皆殺しにする必要はないと思うけれど？」

ルミアはアスラの小隊――傭兵団《月花《つきばな》》では最年長の二八歳。

豊富な戦闘経験を持つ女性だ。

茶色のウェーブセミロングは、当然だがパーマではなく癖ッ毛。

ルミアは全体的に、控え目に言って、非常にスタイルがいい。

顔はかなり整っていて、どこか妖艶《ようえん》で大人の色気がある。

そして、胸は大きめだが爆乳というほどではない。ちなみに、ルミアの胸に顔を埋めたら気持ちいい。

女に転生して良かったことの一つは、女相手にボディタッチをしても、セクハラ扱いされないこと。

まぁ、ルミアにしかしないけれど。

「私たちの任務は敵大隊の足止め、できるなら消耗させる、だったはずだけど？」

アスラは小さく肩を竦《すく》めた。

アスラはこっちの世界に生まれ変わって一三年。つまりまだ一三歳。身体は鍛えているが、やはり男だった前世に比べると弱く、そして細く感じる。

実際にもアスラは華奢《きゃしゃ》に見えるし、胸は小さい。膨らみが少しあるかな、という程度。

ちなみに、顔立ちに関してはアスラ自身とっても気に入っている。少し冷血な印象を与えることもあるが、ハッキリ表現すれば絶世の美少女。

何度もそう言われたので、間違いない。

おっと、口を開かなければ、と最初に付くんだったかな。

「十分に達成してるわね」

ルミアは冷静に言った。

「ああ。だからなんだい？　引き上げろと？　これは初陣《ういじん》だよルミア。前世を思い出した三歳の時から、いずれは傭兵団を作ろうと身体を鍛え、一年前に仲間を集め、そしてやっと初陣なんだよ？そもそも、敵を多く殺してサービス過多だと怒られることはないだろう？　それに、私はハッキリ言って戦争が好きだ」

前世でも傭兵団の団長をやっていて、色々な国で戦った。

アスラはあの頃の楽しさが忘れられない。だから今世でも戦う道を選んだ。

「もし皆殺しにするなら、わたしは一線を越えたと判断するわ」

「ああそうかい。それはそれは、ずいぶんと敵兵にお優しいことで」アスラは笑う。「だがねルミア、彼らは侵略者だ。私たちの雇い主であるアーニア王国の人間を殺すためにやってきた。彼らは兵隊なんだよルミア。殺戮《さつりく》の時間を謳歌《おうか》するためにやってきた。ならば逆に、自分たちが殺されることも覚悟の上だろう？　それがたとえ、私たちのようなロクデナシの傭兵団に殺されるとしても」

ルミアは黙ったが、まだ思案している様子だった。

ああ、これは何か妥協案を出さないと殺し合いかな、とアスラは思った。

アスラとルミアの殺し合い。

アスラがただの悪逆に、ただの殺人鬼に成り下がるのなら、ルミアはアスラを殺してでも止める。

そういう決意がルミアにはある。

しかし傭兵稼業において、その線引きは非常に難しく、そして曖昧だ。

「どうした臆病者の魔法使いども！」敵の副長が叫ぶ。「もう終わりか！　臆病者め！　出て来て正面から戦ったらどうだ⁉　それとも貴様らの作戦は奇襲を仕掛けて逃げることか⁉」

「ほらルミア、聞こえるかい？　彼らは死にたいのさ。私を、私たちを呼んでいる。だけれど、だけれどルミア。私はルミアと争いたくない。君を殺したくないし、君に殺されたくもない。本当の意味での家族は私にとって君だけなのだから。そこで、だ。どうだろう？　私は彼らにチャンスを与えようと思う」

「チャンス？」

「そう。チャンスだよルミア。彼らが生きるチャンス。戦争のオプション。分かり易《やす》く言うと、降伏するということだね」

「彼らに降伏勧告をする、と？」

「ああそうだ。君の意見は大切にしたい。だから私は優しく、彼らに実力の差を説いてもいい。望むなら笑顔も振りまこう。だがね、それでも、それでも彼らが引かなければ、その時はやる。私はやる。私たちはやる。当然、部下である君にもやってもらう。心底、徹底的に、彼らに地獄と絶望を教えてやる」

アスラはルミアの茶色い瞳をジッと見詰める。

やがてルミアは息を吐き、

「……分かったわ。相手に選択の権利を与えるなら、一線を越えたことにはならないわ」

そう言って納得した。

「じゃあ、合図を待っておくれ」

それはきっと素敵な合図。戦闘再開という、心躍る素敵な合図。

アスラは単身、森から出た。

敵兵たちは防御方陣を崩そうとしていたところだった。少し時間が経ってしまったので、アスラたちが逃走したと判断したのだ。

「防御方陣‼」

アスラの姿を認識すると同時に、敵の副長が叫ぶ。

敵兵たちは即座に防御方陣を組んだ。

「おやおや、こんな可愛らしい少女一人に、ずいぶんとまぁ臆病なことだね」

アスラは約束通り、ヘラヘラと笑顔を浮かべた。

あとは実力の差を説いて降伏勧告すれば、ルミアとの約束は果たされる。

「その銀髪に黒いローブ！　さっきの奇襲は貴様だろう⁉　貴様は何者だ⁉　魔法使いというよりは、まるでアサシンのような動きだったが、どこの所属だ⁉」

「私はアスラ。傭兵団《月花》団長、アスラ・リョナ。覚えておくといい。私たちはアサシンでも魔法使いでもない。私たち……」

「……団長？　貴様が？」

敵兵たちがざわついた。

台詞《せりふ》の途中だったのに、とアスラは思った。

ちなみに、
私たちは魔法兵さ！

と高らかに言うつもりだった。

「黙って最後まで聞きなよ。いいかい？　我々はとてつもなく強い。天地が引っ繰り返っても君たちは《月花》に勝てない。このままでは一方的な虐殺になってしまう。私は別に構わないが、それを良しとしない優しい副長がいてね」

やれやれ、とアスラは両手を広げて首を振った。

「そこで、だ。か弱く臆病で情けない君たちに降伏を勧めてあげよう。なぁに、心配するな。命の保証はしてやる。まぁ、アーニア軍に身柄を引き渡して終了、といったところかな」

それでもアーニア軍へのサービスとしては十分。

「ふ、ふざけるなクソガキがぁ！」

「我らテルバエ大王国軍が貴様のようなガキに降伏だと⁉」

「魔法使いだかアサシンだか知らねぇが！　奇襲に成功して浮かれてんじゃねぇ！」

敵兵たちが喚き散らす。

「あは」

アスラは嬉《うれ》しくて笑った。

その笑顔を見て、敵兵たちの表情が凍り付いた。

自分では気付いていないが、アスラの笑顔は酷《ひど》く恐ろしいものだった。

「では夢のような戦闘を続けよう。ロマン溢《あふ》れる魔法を主体とした戦闘を」

アスラが右手を上げて、指をパチンと弾いた。

瞬間、風属性の支援魔法【浮船】を使用したイーナが森から飛び出した。

文字通り、飛び出した。

イーナは敵兵たちの真上で、両手に持っていた大きな瓶の中身をぶちまける。

そしてイーナが反対側の森の中へと着地した時、敵兵たちが燃え上がった。

ユルキの火属性攻撃魔法【火球】だ。

「ああ、君たちにとっては悪夢のような、だったかな」

イーナの持っていた瓶の中身は油。

魔法の火力が弱いなら、強化すればいい。

敵兵たちが断末魔の悲鳴を上げ、もがき、苦しみ、やがて一人、また一人と動かなくなった。

「防御方陣を組んで固まっていたのが災いしたね」

「ふざけるなクソがぁぁぁ！」

あまり油をかぶらなかった運のいい敵兵がアスラに向かってきた。

「あ、危ないよ君。そこには……」

アスラが言ったと同時に、敵兵の足下が爆発した。

「ぎゃぁあぁぁぁあ！」

右足が消し飛んだ敵兵が地面を転がる。

「だからそこは……」

転がった敵兵が更に爆発。血飛沫《しぶき》がアスラの頬に付いた。

「私の【地雷】が撒いてあるから気を付けなくちゃ爆散してしまうよ？」

アスラは右手で指を弾いた時に、左手で花魔法【地雷】を前方に発動させた。

それは小さな七枚の花びら。注意していないと、気付かない。

「さぁルミア！　マルクス！　後始末だよ！　一人は生かすことを許そうじゃないか！　君たちが誰を生かすか選ぶといい！」

アスラの言葉で、ルミアとマルクスが森から出る。

そして生き残った敵兵たちの喉を、短剣で裂いていった。

ルミアとマルクスは《月花》の中では物理攻撃に長けている。

だが二人とも優しいのが玉に瑕《きず》といったところか。

ルミアは華麗に、マルクスは力強く、それぞれ敵兵を絶命させる。

死に逝く敵兵たちを眺めていたら、あっという間にルミアとマルクスが敵をほぼ殲滅《せんめつ》した。

一人は生き残っているので、皆殺しではない。

まぁどうであれ、戦闘は終わったのだ。

寂しいな、とアスラは思った。

「さて、と」

アスラは生き残った一人の前まで歩いた。

そして微笑む。

普通の笑顔。

年相応の、可愛らしい笑み。

だが敵兵は尻餅をついたまま、怯《おび》えた様子でアスラを見上げていた。

「君を生かしたのには理由がある。いいかな？　よく聞いておくれ」

アスラはしゃがみ込んだ。

よく見ると、敵兵はまだ若い。一七歳前後か。

こっちの世界では多くの国で成人だが、若いことに変わりはない。

なるほど、一番若い奴を生かしたわけだね。

「我々は傭兵団《月花》だよ。いいね？　君たちを壊滅させたのは傭兵団《月花》。次に戦争する時はぜひ我々を雇うことをお勧めするよ。今日の敵は明日の雇い主ってね」

一章　二話

団長に必要な素質？全てを楽しむ心と破滅的な思考回路かな

アーニア王国王城、謁見《えっけん》の間。

アーニア王は玉座に座ったままで、傭兵団《ようへいだん》《月花《つきばな》》の面々を見下ろしていた。

女が三人、男が二人。彼らは全員、黒いローブに身を包んでいる。

魔法使いとは思えないほど素晴らしい武勲を挙げた、と将軍から報告を受け、急遽《きゅうきょ》呼び出したのだ。

「これはこれは、若き王。私たちに一体どんな用があるのかな？」

銀髪の少女が小さく笑みを浮かべながら言った。

銀髪の少女は細く、そして一番歳が若いように見える。

だが恐ろしいと感じるほどに整った顔立ちをしていた。

あと一〇年もすれば絶世の美女と呼ばれ、貴族と結婚することも叶《かな》うだろう。

だが、とアーニア王は思う。

「貴様！　王の御前であるぞ！」白銀の鎧《よろい》に身を包んだ、アーニア王の親衛隊長が言った。「まずは跪《ひざまず》き、許しがあるまで言葉を発するな！」

それが王族と対面する場合の礼儀。

しかし《月花》の団員は全員がその場に立ったまま、顔すら伏せていない。

「なぜだい？」銀髪の少女は酷《ひど》く不愉快そうに言った。「若き王は私の王じゃない。それに私は跪くのが嫌いだし、命令されるのも嫌いだし、団規以外のルールには興味ないね」

「貴様!!　なんたる言い草!!　叩《たた》き斬ってくれる!!」

親衛隊長が剣を抜く。

「いいんだね？」

銀髪の少女が急に真顔になった。

そして、酷く薄暗い瞳で親衛隊長を見据える。

「うっ……」

親衛隊長は気圧《けお》されたのか、動きを止めた。

「止まって正解だぜオッサン」金髪の少年が言う。「団長は降りかかる火の粉は容赦なく払うタイプだからよぉ。ついでに言うと、俺とイーナもな」

金髪の少年と、イーナと呼ばれた黒髪の少女は右手に短剣を握り、戦う準備をしていた。

「それに……あたしも……ユルキ兄も、跪くの……嫌いだから」

なんて、なんて大胆不敵な連中なのか。

そして、なんて暗い目をした連中なのか。

少なくとも、団長と呼ばれた銀髪の少女、ユルキ、イーナはどこか壊れている。

「余が許す。跪く必要はない。お前も剣を仕舞え」

こいつらは危険だ。アーニア王はそう判断した。

本気で、跪くぐらいなら一国を相手に戦争を始めそうな気さえする。

親衛隊長が剣を仕舞う。

同時に、ユルキとイーナも短剣を仕舞った。

「ルミア、マルクス。君たちは跪きたければそうしても構わないよ？」

報告では《月花》団長の名はアスラ・リョナだったか。

つまりこの銀髪の少女がアスラということになる。

「そうさせてもらうわ」

妖艶《ようえん》な美女――ルミアが跪く。

「助かります団長。自分は騎士団出身ですので、跪かない方が気持ち悪いです」

赤毛の大男――マルクスもスッと跪いた。

ローブの上からでも、マルクスの鍛え上げられた筋肉が分かる。これは恐ろしい手練《てだ》れに違いない、と考えたところでアーニア王はハッとした。

「待て。お主、マルクスと言ったか？　もしや蒼空《そうくう》騎士団のマルクス・レドフォードか？」

「そうだった時期もありますアーニア王。しかし自分は今、傭兵団《月花》の魔法兵、マルクスであります」

「……ふむ。そう、であるか。ところで、魔法兵とはなんぞ？　魔法も使える戦士、即ち魔法戦士の類いか？」

これが本題。

アーニア王は知りたかった。わずか五人の小隊で三〇人前後の大隊を殲滅《せんめつ》した彼らのことを。

「それには私が答えよう若き王」アスラが言う。「なぜなら魔法兵とは、私が作った新しい兵科だからね」

「兵科？」

「そう。私たちのベースはあくまで兵士であって戦士ではない」アスラが言う。「私たちは確かに全員魔法が使える。けれど、私たちにとっての魔法は武器の一つなんだよ。カラシニコフやＲＰＧのようなものさ」

「……カラシ……？」

「いや申し訳ない。忘れておくれ。剣や弓のようなものだと言いたかったのさ」

アスラが肩を竦《すく》めた。

「続けよう。私たちは魔法と同時に近接戦闘術も扱える。当然、フィジカルも鍛えている。魔法を有効に使え、ファイア・アンド・ムーブメントを理解し、かつ魔法だけに頼らず戦える兵士。それが魔法兵」

「ファイア・アンド？」とアーニア王が目を細めた。

「ムーブメント。射撃と機動。魔法と機動、かな。我々の本領は森や市街地であって、多くの軍がやるような、広場で正面からぶつかったりはしない」

ほう、とアーニア王は感心する。魔法兵に感心したのではない。それを淀《よど》みなく説明したアスラに感心したのだ。

非常に賢い少女だ。団長を名乗るだけのことはある。

「補足します王」ルミアが言った。「我々は身を隠し、不意を突き、機動しながら魔法や武器を使い、敵を倒す集団です」

「ふむ。なるほど。アサシンのような魔法使い、ということか」

「前世じゃ先に敵を見つけて先に攻撃するのが普通だったから、アサシンと言われてもピンとこないなぁ」アスラが小さく首を傾げる。「でもまぁ、サイレントキリングをすることもあるだろうし、完全に間違いってわけじゃないか……」

「前世？」

「ああ、どうせ信じないだろうけど、私は前世でも傭兵をやっていてね。ははっ、四〇歳の時にアーレイ・バーク級のミサイル支援をマトモに喰《く》らってあの世逝きさ。いやぁ、あの激戦は楽しかったなぁ」

アスラはとっても楽しそうに言った。

けれど、アーニア王には半分も理解できなかった。

「アスラ。イカレてると思われるわよ」とルミアが言った。

「ふん。別に構わないさ。私の頭がマトモだなんて誰も信じちゃいないんだから」

確かにアスラの態度や発言はマトモじゃない。

けれど、そのぶっ飛んだ思考が自分たちの勝利に繋《つな》がる。

アーニア王はそんな予感がした。

「これからも要所で君たちを使いたい。我が国に滞在する期間はどのくらいか?」

「ははっ。若き王よ、私たちは傭兵だよ? 戦場を求めて彷徨《さまよ》う亡霊のようなものさ。だからそれは愚問だね。私たちは戦争が終わるまでここにいるとも。何度でも私たちを使えばいい。なんだってしてあげるよ。相応の報酬さえ用意してもらえればね」

アスラは笑っていた。

でもその笑顔に可愛らしさは欠片《かけら》も見当たらない。

率直に言うなら、頭がどうかしているのかと思った。

傭兵団《月花》とアスラ・リョナ。上手く使えばテルバエ大王国に勝てるかもしれない。

けれど、使い方を誤れば諸刃《もろは》の剣《つるぎ》になりかねない。

◇

「で、いきなり酒場で豪遊するわけね」

ルミアが呆《あき》れたように言った。

「いいじゃないか。私たちは勝った。大隊を殲滅《せんめつ》したんだから、勝利の美酒に酔う権利がある」

初陣《ういじん》を勝利で飾った夕暮れ時。アーニア城下町の酒場を貸し切って、アスラたちは豪遊していた。

テーブルには豪勢な料理が並び、一人につき一人の娼婦《しょうふ》があてがわれている。

「つっても、団長はお茶飲んでるっすよね?」

ユルキは娼婦の胸にお札を挟みながら、ヘラヘラとした口調で言った。頬も紅潮しているが、それはビールを三杯飲んだから。

ユルキは団長であるアスラと副長のルミアには半端だが敬語を使う。

「この身体がまだ酒を受け付けないんだよ。呑《の》むと確実に吐く」

「団長の……弱点？」

イーナは少しフラフラしている。そんなイーナを、娼婦のお姉さんが支えていた。

イーナは黒髪のショートカットで、一五歳の少女。目付きが悪く、パッと見ただけで悪人だと分かる。

「お酒はまだ許すにしても、娼婦を呼ぶなんて」とルミア。

「酒を注ぐ美女がいた方がいいだろう？　それとも、君とイーナには男娼《だんしょう》の方が良かったかな？」

「やめて。わたしは純潔の誓いがあるの。結婚するまで守るわ」

「まったくでありますぅ。自分も純潔の誓いを立てておりますので、お酌だけで」

マルクスは娼婦に照れながら、小さく何度かお辞儀をした。

軽く酔っているようだ。

ルミアは二八歳。マルクスは二五歳。

しかし二人とも真面目に言っているので、冗談のネタにはしない。

「俺は誓ってねぇから、部屋行ってきていいっすか団長？」

ユルキは一八歳の少年で、元盗賊団の団長。

ちなみに、ユルキは金髪で人懐っこい雰囲気がある。ややイケメンらしいが、アスラは男の容姿に興味はない。

「ユルキが自分のお金をどう使おうと、私は口出ししないよ。好きにするといい。私も前世ではよく娼婦の世話になったものさ」

成功報酬はすでに全員で平等に分けてある。

ちなみに、ここの払いは団のお金を使った。それは前金として貰《もら》った金で、本来なら武具の調達などに使うのだが、今回は自前の物しか使わなかったので余ったのだ。

娼婦に支払った金はお酌代だけで、寝る分の金額は払っていない。それは自腹だ。

「んじゃ、また明日っす」

ユルキは娼婦の腰に手を回し、今までに見せたことのないような満面の笑みでテーブルを離れた。

「ユルキ兄のスケベ……ヘンタイ……バカ……死ね」

ユルキの背中を見送りながらイーナが言った。

イーナとユルキは実の兄妹ではないが、イーナはユルキを兄貴分として慕っている。

アスラは串に刺さった肉を手に取った。

娼婦の少女が物欲しそうにその肉を見ていたので、

「食べるかい？」と聞いた。

「いいの？　本当にいいの？」

瞳をキラキラさせて少女が言った。

「構わないよ。みんなも食べていい」

アスラは笑顔で他の娼婦たちにも食事を促した。

「優しいわね」とルミアが頬を緩ませる。

「別に。多いからどうせ余るだろうしね」

実際、料理の量は半端じゃない。

「それはそうとアスラ、ちょっと真面目な話だけど、王族には気を付けなさい」

「不敬罪、ってやつかな？」

「そうね。アーニア王は寛大な王だけれど、そうでない者も多いわ」

「私は媚《こ》びるのも跪くのも嫌いだね。喧嘩《けんか》を売られたら買うし、宣戦布告されたら殺し合う。それだけだよ」

「……わたしのようになって欲しくないのよ」

「だろうね。まぁ、祈っていておくれ。全ての王が寛大でありますように、ってね」

ルミアは溜息《ためいき》を吐いた。

しかしそれ以上は何も言わず、ワインに口を付けた。

「あ、あの……」と娼婦の少女が言った。

「そういえば、名前を聞いていなかったね」アスラは微笑みを浮かべる。「私はアスラ・リョナ。傭兵団《月花》の団長をやっている」

「あ、えっと、私はサルメです。あの、食事、ありがとうございます……」

「いいんだよ。好きなだけお食べ」

「あの、アスラさんは、私より年下に見えますけど、傭兵なんですか……？」

「そう言ったよ。サルメはいくつだい？」

「一四です」

サルメはセミロングの茶髪に、まだ成熟していない身体。顔立ちも、お世辞にも美人とは呼べない。だが取り分けて不細工というわけでもない。

恋人にするなら、絶世の美女よりサルメの方が気楽でいい。そんなことをアスラは思った。

でも、私の恋人は戦場だ。

「若いね。まぁ、私より一つ年上だけどね」

アスラは少しだけ、不憫《ふびん》に思った。借金のカタに売られたか、生きるために仕方なく娼館《しょうかん》の門を叩いたか。

前世なら犯罪だが、この世界では割とよくあること。

「傭兵って……私でも、なれますか？」

「ほう」アスラは少し笑った。「なりたいのなら、うちに入れてあげてもいいよ？」

「本当ですか⁉」

サルメは期待と不安の入り交じったような声で言った。

「ああ、もちろんだとも。戦場で矢をその身に受けて、槍《やり》で何度も突かれ、剣で斬られて倒れ、踏みつけられて、血塗《ちまみ》れでのたうちまわりながら死ぬのが好きなら大歓迎。運が悪ければ死ぬ前に何度も犯されて、傭兵になる前は幸せだったなんてチラッと考えてから地獄に逝くのがお好きなら、傭兵は最高さ」

アスラがそう言うと、サルメは絶句した。

少し、刺激が強すぎたか。

「その前に……身も凍るような訓練がある……」イーナがうんざりしたように言った。「あたし、聞いてなかった……あんな酷いことされるなんて……」

「拷問訓練のことか……」マルクスの顔が真っ青になる。「自分もあの時は本気で騎士団に戻りたいと思ったものだ……」

「だが君たちは耐えた。それぞれ傭兵になった動機は違うが、君たちは強い心で私の基礎訓練過程を終えた。あとは愉快気ままに傭兵稼業をやりながら応用訓練をこなし、戦場で活き活きと死ぬだけさ。最高の人生じゃないか。それに、敗戦して敵に捕まって拷問されるのも戦争の醍醐味《だいごみ》だろう?」

アスラだけはとっても楽しそうだった。

「冗談じゃないわよ」ルミアが額に手を置いた。「そんな醍醐味いらないわ。拷問もアスラの拷問訓練も二度とごめんよ」

「そうかい? 私はあんな風にめちゃくちゃにされるのが結構好きなんだけどね。君らに拷問を施す訓練を課した時のことを思い出すとゾクゾクするよ。どこかに私をグチャグチャにしてくれる強敵はいないものかねぇ?」

アスラがそう言って笑うと、空気が凍り付いた。

「……し……心底イカレてますよ、団長」

「……団長、怖すぎ……」

「ああ、神様……どうかアスラがほんの少しでもマトモになりますように……」

マルクスの表情が引きつって、イーナは持っていたフォークを落とした。

ルミアは両手を組んで祈り始めた。

「ところでサルメ、入団するかい？」

アスラは普通の笑顔を浮かべた。

サルメは口をパクパクと動かしたが、言葉は出なかった。

「まぁ、私たちはまだしばらくアーニアにいるから、ゆっくり考えるといい。また勝ったら君を呼ぶから。あ、ところでサルメを娼館から買い上げるならいくら必要なのかな？」

アスラはルミアの相手をしている娼婦に言った。

その娼婦がリーダー格に見えたからだ。

「サルメは七万ドーラよ。けっこうな借金抱えててね」

ドーラはこの世界の共通通貨で、価値としてはドルと似たようなもの。

今回の成功報酬は一〇万ドーラで、五人で分けたから一人二万ドーラ。

「どうやら足りないようだ。もう少し待つといい。あと何回か任務を果たしたら七万ぐらいは払えるだろう」

「アスラ・リョナはいるか⁉」

突然、酒場に兵士が三人入ってきた。

「ここだよ」

アスラが手を上げて応える。

「アーニア王より依頼がある！　敵が中位の魔物を使役していて、我が方が押し込まれている！

《月花》は魔物退治も可能か⁉」

「魔物か。《月花》で狩るのは初めてだけど、問題ない。戦闘であることに変わりはないしね。受けるよ」

「ありがたい！　では明日の朝一番でムルクスの村へ向かってくれ！　詳細は追って他の者が伝えにくる！」

それだけ言って、兵士たちは酒場をあとにした。

「さっそくお金が飛び込んできた。私って持ってるだろう？」

アスラは笑顔で言った。

マルクスは真剣に何かを思案していて、イーナは少し不安そうだった。

「持ってるって何を？　ははっ、なんだろうね」誰も何も言わなかったので、アスラは一人で会話を完結させた。「戦争の女神の寵愛《ちょうあい》とか、運とか、そういうのかな？」

一章　三話

戦場では活き活きと死ね　藁に縋って死ぬよりずっといい

「こりゃ酷《ひど》いもんだな」

民家の屋根の上で、ユルキが呟《つぶや》いた。

「ふむ。魔物小隊の基本戦術は、魔物に戦わせておいて、自分たちは魔物が討ち漏らした相手を囲んで倒す、って感じかな。確かに酷い戦術だけど、楽でいいんじゃないかな」

アスラたちはいつもの黒いローブに矢筒を装備していて、手には弓を持っていた。

「いや、そっちじゃねーっす」

ユルキが溜息《ためいき》を吐いた。

「魔物による惨殺のことだと思われます、団長」

「……これ、あたしら、勝てるの？」

ムルクスの村はすでに酷い有様だった。

蹂躙《じゅうりん》、という言葉がピッタリと嵌《は》まる。

「無理じゃねぇっすか？　強すぎるっすよ、中位の魔物」

誰も彼もが魔物の爪や牙で引き裂かれている。

中位の魔物は人間よりも動きが速く、力が強い。

でも、とアスラは思う。

ただそれだけなのだ。

「作戦通りにやればいい。倒せなきゃ私の責任だ。生き残ったら私にお仕置きでもすればいいさ」

アスラはククッ、と笑った。「それより、アーニア軍の方が問題だよこれは」

アーニア兵たちは市街戦に慣れていないのか、統率も連携もグダグダで、ほぼ一方的にやられている状態。

「そうね。そもそも村に避難指示を出さなかったのかしら？　村人が大勢巻き込まれているわ」

「いや副長、巻き込まれてるっつーか、テルバエの連中、喜び勇んで村人殺してる感じじゃねーっすか？」

「同感だ。外道《げどう》どもめ」

マルクスが吐き捨てるように言った。

「まぁ、それは私らの問題じゃない。さぁ、そろそろ始めよう。いい位置じゃないか」

ちょうど、アスラたちの下を魔物小隊が通過しようとしていた。

彼らは上を見上げない。アーニア軍にも言えることだが、見上げる習慣がない。

市街戦初心者というか、間が抜けているというか、上から攻撃されることを想定していない。

この世界の軍は、普段は広い場所で陣形を組んで戦う。だから仕方ないのかもしれない、とアスラは思った。

「間違えてくれるなよ諸君。私らは優位な立ち位置にいる。よって、ファイア・アンド・ファイアだ」

◇

テルバエ大王国軍、魔物小隊。

全部で四つあるその小隊の一つに、彼は指揮官として所属していた。

魔物を戦争で使おうという画期的な案は、大王自らが考えたもの。

中位の魔物——黒い狼《おおかみ》のような魔物を彼の小隊は使役していた。

彼の小隊ではその魔物にピリという名前を与えていた。

アーニア軍はピリの素早さや力強さに押され、戦線を維持することができなくなり、広大な茶畑が広がるムルクスの村まで下がっていた。

この村の茶畑は、アーニア王国の資金源。それを焼き払って経済的打撃を与えるのが彼らの任務。

アーニア王国の茶は、彼も好きだったので少し残念に思う。

だがこれは戦争。仕方ない。

茶畑に火を点け、民家に火を点け、アーニア兵も逃げ遅れた村人も、彼らは容赦なく叩《たた》き斬った。

もちろん、ピリの爪に裂かれた敵兵も多い。

ムルクスは大きな村だ。彼らはこの村を完全に消滅させるために来た。

今も焦げた匂いと炎が立ち昇る村を歩き回り、アーニア兵や村人を探していた。

完全に消滅させる——即ち、ムルクス村は地図から消えるのだ。

「いやぁ、ピリがいればアーニアなんぞカスですなぁ隊長」

彼の部下が笑顔を浮かべる。

彼の部下は全部で四人と一匹。

他の三つの魔物小隊も同じ構成。

この世界において、小隊と呼ばれる編制は基本的に五人前後である。

四つの小隊を一つの中隊として、彼らは活動している。

村に入る前の、草原での戦闘には大盾中隊も参加していた。矢による攻撃を防ぐためだ。しかし村の中での戦闘には不要なので、彼らは先に帰投した。

アーニア王国軍は大隊規模だったが、すでに半数以上減っていると推測。そして今のところ、こちらに消耗はない。

あとは魔物小隊だけで十分。

「もともとアーニアはそんなに強くないでしょ。そこにうちのピリちゃんが加わったら、そりゃ無双でしょう？」

別の部下も明るく言った。

我々は勝っている。圧倒的に勝っている。これはもう掃討作戦なのだ。

日が沈む頃にはムルクスの村は消滅する。そして彼らも陣地へと帰投し、しばしの休息を堪能するのだ。

「花びら？」

唐突に、桃色の花びらが空から降って来た。
かなりの数だ。
「気の早い奴が勝利の花吹雪でも撒《ま》いてんですかねぇ？」
「分からん」
彼は花びらを一つ、手で掬《すく》った。
なんの変哲もない普通の花びら。
「綺麗《きれい》……」
部下が空を見上げた。
彼も釣られて空を見て、そして視界の端に人影が見えた。
民家の屋根の上から、こっちを見ている者たちがいる。
その中心で、銀髪の少女が笑っていた。
酷く薄暗く笑っていた。
彼は全身がゾワゾワした。
部下の顔に、花びらが触れる。
そして次の瞬間、
部下の顔が破裂した。
いや、違う。爆発した？
血と肉が飛び散って、彼らは混乱した。何がどうなっているのか分からない。

更に別の部下の肩が爆発。

部下が悲鳴を上げた。

「攻撃だっ！　花びらに触れるな！　移動しろ！」

全ての花びらが爆発するわけではない。

けれど、どれが爆発する花びらなのか分からない。

「この花びらの外――」

彼は最後まで言葉を紡《つむ》ぐことができなかった。

彼の喉には矢が突き刺さり、
そのすぐあとに無数の矢が彼を襲った。

彼は死体になって地面を転がり、けれどその瞳は開いたまま。

隊長を失った部下たちの混乱は頂点に達し、剣を抜くが敵は見えない。

闇雲に剣を振って、その剣が爆発。破片が刺さって叫ぶ者がいた。

矢が降っている。雨のように。

ピリの固い毛皮は、その矢を弾くが、人間はそういうわけにもいかない。

彼らの防具は軽装備。ピリに合わせて機動力を重視しているので、革の鎧《よろい》しか装備していない。

一人、また一人と部下たちが倒れていく。

ピリが吠《ほ》える。

ああ、ピリよ。オレたちは死んでしまったが、お前が仇《あだ》を討ってくれ。

彼はもう死んでいるので、知らなかったのだ。

ピリは吠えたあと、すぐに窒息してしまうことを。

◇

「ほら、魔物なんてどうってことないだろう？」

民家の屋根でアスラが言った。

「自分の【水牢《ろう》】がこれほど優秀だとは、団長のおかげであります」

マルクスが感激した様子で言った。

【水牢】はマルクスの生成魔法。攻撃魔法ではない。水を生成するだけの魔法だ。しかし相手の顔面で水を生成すれば、相手は窒息する。

それによって、黒い狼のような魔物の息の根を止めたのだ。

「なぁに、礼には及ばないよマルクス。私たちは魔法にロマンを感じる者同士。正しく使えば魔法は強力な武器になる」

【水牢】を考えたのはマルクスではなくアスラ。

生成魔法を攻撃に転用する――そんなこと、常識では考えつかない。

魔法にはまず属性がある。固有属性は数多いが、基本属性は六種類だ。

水、火、風、土、光、闇の六つである。ちなみに闇はかなり珍しい属性だ。

そしてその属性に応じた魔法の種類、または性質は全部で四つ。

攻撃、支援、回復、生成だ。

水属性の生成魔法として、マルクスは【水牢】を使ったということ。

魔法使い一人につき一つの属性なので、マルクスは水属性以外の魔法は使えない。

今後、固有属性を得る以外で属性が変わることはない。

「団長のびらびら【乱舞】も、綺麗でいいっすねぇ」

「私のびらびらって言うなユルキ」

「なんでっすか？」

「君の言い方がなんか嫌だったんだよ。いやらしいから」

アスラは両手を広げた。

「生成魔法【乱舞】の中に攻撃魔法【地雷】を混ぜる。お見事ね」

「初手が【閃光弾《せんこう》】ばかりだと飽きるだろう？　まぁ、決め技は【水牢】が便利だから仕方ないけど」

ルミアに褒められて、アスラは少し微笑んだ。

「自分は感激であります。水属性の自分が、敵の指揮官や魔物を魔法で倒せるなんて……。自分は魔法兵になって本当に良かったと思います。親には勘当されましたが」

武人の家系に生まれたマルクスは、そもそも魔法を否定され続けていた。

だからコッソリと隠れて魔法の鍛錬を行っていたという過去がある。

「それにしても、マジで普通に倒せて逆にビビッたっすわ俺」

「しかも簡単に。自分の【水牢】が決め技となって」

「……魔物も息ができないと……死ぬんだね……」

「君らは魔物と戦うのは初めてだったかな？」

アスラは過去に、ルミアと二人で魔物退治をしたことがある。その時も中位の魔物だった。

「いえ、自分は騎士団時代に退治したことがありますが、これほど簡単ではなかったですね。正面から当たったので」

「俺らは初めてだよな、イーナ」

「うん」

「そうかい。まぁ、さほど難しい敵じゃないのは分かっただろう？」

アスラがそう聞くと、ユルキ、イーナ、マルクスの三人が頷《うなず》いた。

ルミアは最初から中位の魔物など脅威だと感じていなかった。

「では訓練を兼ねてツーマンセルとスリーマンセルに別れて残りの三匹を狩ろう」

「ういっす。組分けはどんな感じっすか？」

「ブルーセクションに私とルミア。レッドセクションに残りの三人」

「ちょっと待った！」ユルキが言う。「そっちに火力集中しすぎっしょ⁉」

「あたしら、死ぬ……」

「さすがに団長と副長抜きで魔物退治は厳しいかと」

イーナがガックリと項垂《うなだ》れて、マルクスは真面目に反論した。

「いや。戦力は問題ない。君ら三人でもやれるはずだよ」アスラが肩を竦《すく》める。「そうだなぁ、指揮は順当ならマルクスだが、今回は訓練を兼ねているからユルキが指揮を執りたまえ」

「俺っすか？」

「……死んだ……」

「死んだな」

ユルキは驚き、イーナは絶望し、マルクスは頷いた。

「団長、別に逆らうとかじゃねーっすけど、その、考え直して……」

「直さない。自信がなくてもやりたまえユルキ。魔物退治に失敗したら活き活きと死ね。命令だよ」

マルクスは騎士団で小隊の指揮経験がある。際どい相手ならマルクスだが、今回の相手ならユルキを鍛えるのにちょうどいい。

「う、ういっす……」

「他に何か意見はあるかい？」

アスラが問うが、誰も何も言わなかった。

「よし。では任務に移れ。散開！」

◇

「私たちが出会ったのも、こんな景色の中だったね」

もうじき廃村となるムルクスの村を、ピクニック気分で歩きながらアスラが言った。

時折、転がった死体を見て微笑む。

君たちは活き活きと死ねたのかな？　それともただ死んだのかな？

そんなことを想いながら。

「もう一〇年も前になるのね……」

ルミアは遠く呟くように言った。

「色々あったね。師匠」

パチパチと音を立てて燃える民家。

血の臭いと木造の民家が焼ける匂いが混じっていて。

地獄絵図と呼ぶには死体の数が少し足りないけれど。

まぁ概《おおむ》ね、好きな景色だ。

「そう呼ばれるのは久しぶりね。ところで、フラフラ歩いていていいの？　索敵して先制するのが魔法兵でしょう？」

「訓練を兼ねると言ったろ？　私とルミアが先制したら簡単に勝ってしまう。それに、常に先制できるとも限らない。だから今回は、先制されようと思う」

「敵にわざと見つかって、攻撃させるのね？」

「そう。私たちはそこから立て直し、ファイア・アンド・ムーブメント」

アスラがそう言ったすぐあと、一〇歳前後の少年が一人、民家の陰から飛び出してきた。

少年はアスラたちを見て止まろうとしてそのまま滑って尻餅を突いた。

「大丈夫よ。お姉さんたちはアーニア軍だから」

怯《おび》える少年に、ルミアが微笑みかける。

「正確には雇われた傭兵《ようへい》だがね。村人には手は出さないから……」

「助けて！　父ちゃんも母ちゃんも殺されて！　オレ、捕まったら西側に売られちゃう！」

アスラの言葉の途中で、少年が起き上がってルミアに抱き付く。

「おい！　ガキを見つけたぞ！　ついでに女が増えてますぜ隊長！」

「そりゃいい。小遣い稼ぎに最適だ」

熊のような魔物を従えた敵の魔物小隊が、少年が出てきたのと同じ民家の陰から出てきた。

人間が五人に魔物が一匹。

「小遣い稼ぎということは、人身売買かな？　確か西フルセン地方に奴隷制度があるんだったかな？」

「そうね」

アスラたちの住むこの地方全体をフルセンマーク大地と呼ぶ。面積としては、ヨーロッパよりは少し狭い。

そのフルセンマーク大地は、地図では西、中央、東の三つの地方に分けて記される。

ちなみにアーニア王国は東フルセン地方に属する。

「いいねぇ、美人じゃねぇか。うちらで犯してから売りましょうや」

「オレは銀髪の方が好みだな」

「ガキに用はねぇよ。ねーちゃんの方だろ、普通」

「バカ、銀髪ちゃんぐらいが一番美味しいんだよ」

魔物小隊の連中がいやらしい笑みを浮かべながら言った。

あぁ、戦場って感じだなぁ、とアスラは思った。

こういう、ならず者部隊みたいな連中はどこにでもいる。

「訓練目標をアップデートする。少年を保護し、護衛しながら敵を殲滅《せんめつ》」

「何を言っているの⁉　危険でしょう⁉　逃がすべきよ！」

「いやダメだね。せっかくだからその子は訓練に使う。なぁに、失敗しても誰も責めないさ」

「……っ。あなたは……」

ルミアが歯噛《はが》みして、拳を握った。

「それに少年、見たいだろう？　両親の仇《かたき》が無惨に死ぬところをさぁ」

ニタァ、っとアスラが笑う。

少年は一瞬だけビクッと身を竦めたが、

「見たい、父ちゃんたちの仇を討ってくれるなら、オレ、それを見たい！」

ルミアから離れてそう言った。

「というわけだルミア。異論は認めない。さぁ、この状態から始めよう」

言って、アスラは魔物小隊へと向き直る。

魔物小隊の連中は、余裕ぶって笑っていた。

こちらは女が一人に子供が二人。戦えるとは思っていないのだろう。

ちょっと遊んで捕まえて、犯して売って、はいお仕舞い。彼らはそう考えている。

「ははっ、お嬢ちゃん戦うつもりかい？　うちら最強の魔物小――」

彼は最後まで言えなかった。

アスラの投げた短剣が喉に突き刺さったから。

「上手いもんだろう？」

アスラが挑発するように笑い、

「てんめぇぇぇ！」

魔物小隊の連中が怒声を上げた。

闇を泳ぐ魚を見たって？　私を覗き込んでいたのは君だったのか

ユルキたちは民家の屋根でアーニア兵とテルバエ兵の戦いを見ていた。

「……アーニア弱い……」

イーナが呟《つぶや》いた。

「つーか、やっぱ中位の魔物強くね？」

アーニア側の小隊は、テルバエ兵が連れている黒い狼《おおかみ》のような魔物に手も足も出ないような状態だった。

戦闘開始直後から見ているが、すでに二人が魔物の爪で引き裂かれた。

「で？　自分たちはいつ参戦する？」

マルクスが腕を組んでユルキに聞いた。

「いいぞルウラ！　残り三人も引き裂いてしまえ！」

テルバエ兵が高揚した様子で叫んだ。

彼らは弱い者いじめに夢中で、まだユルキたちに気付いていない。

アスラが言うには、彼らは滅多なことでは上を見ない。だから気配を消していればそうそう見つからないとのこと。

「ルウラちゃんだってよ、あの黒い魔物」

「で？　いつ参戦する？　初手は？」

「……マルクス真面目すぎ……」

やれやれ、とイーナが首を振った。

アーニア兵が剣で攻めるが、ルウラと呼ばれた魔物はそれを簡単に躱《かわ》してしまう。

身体能力に結構な差がある。

そしてルウラはアーニア兵の首を噛《か》み千切った。

ルウラは噛み千切った肉を飲み込み、口の周りの血を舐《な》めた。

「強い上にすんげぇ凶暴じゃね？」

「……人間はご飯みたいなもの……なのかな？　あたしも、次は魔物に生まれたい……」

ユルキは苦笑いで言ったが、イーナは楽しそうに言った。

イーナにとって、人間が一人死ぬことは喜びに近いものがある。

イーナは元々、人間全般に強い憎しみを抱いていた。

ユルキはそのことをよく知っている。盗賊団の仲間や、この団の仲間に心を開くのも遅かった。

まぁ、とユルキは思う。

ストリートチルドレンなんてみんな似たようなもんだがな。

「そんなら最初に俺を食えよ。美味いぞ、きっと」

「……ユルキ兄は食べない……」

初めて会った頃のイーナは歪《いびつ》だった。

パンを分けてもらうために笑いながら大人の靴を舐めていた。

全てを呪いながら笑っていた。

「……あたしの恩人は、食べない……。マルクスは食べるかも？」

「なぜ自分は食べる？　一応仲間だと自覚しているが？」

マルクスが無表情で首を傾げた。

「……冗談。《月花《つきばな》》のみんなは食べない……」

「ふむ。恩人と言ったが、どういう経緯があった？」

「過去を詮索する奴は嫌われるぜ？」

ユルキがそう言った時には、アーニア兵は最後の一人になっていた。

その一人はそれなりに強いらしく、傷を負いながらも逃げる素振りは見せない。

「同じ団の人間のことを知りたいと思うのは、悪いことか？」

「いや、まぁ、どうってことはねぇよ。イーナを盗賊団に誘ってやったってだけさ」

一〇歳で身体を売ろうとしていたイーナを救いたいと思ったのだ。

あの地獄から。

そして「もう笑わなくていい」と。

誰にも媚《こ》びる必要はないのだと、そう言ってやりたかった。

「……クソッタレどもから、全部奪ってやろうぜって……カッコよかった」

当時ガリガリだったイーナを買おうとしたデブを焼き殺した時の台詞《せりふ》だ。

「自分には想像もできないような人生だったんだな」

「そうでもねぇさ。俺らは孤児で、よくいじめられたって話さ。だから徒党を組んでやり返した。どこにでもある退屈な話さ」

イーナと出会った時、ユルキはすでに盗賊だった。

下見に訪れた街でイーナを見かけ、その時は憐《あわ》れに思ったが声はかけなかった。

でも気になって、日が落ちてからも気になって、イーナを探しに街に戻った。

そしたら、デブがイーナをお買い上げ。路地裏でそのままイーナの服を脱がしたところだった。

自分でも理解できないぐらい、怒りが沸いたのだ。

ああ、世界は理不尽で、控え目に言ってクソ塗《まみ》れで。

「そういう連中を、自分は狩る側だった」

「だろうな。騎士団だもんな」

騎士団は憲兵の要請で治安維持に力を貸すこともある。

「それが今では仲間だ。不思議なものだな」

「だな。団長はイカレ女で、俺とイーナは盗賊、マルクスは騎士団。副長は過去知らねぇが、まぁ訳ありだろ？　俺らは愉快な傭兵《ようへい》団ってなもんか……っと、最後の一人が死んだな。マルクス、ルウラちゃんに【水牢《ろう》】当てれるか？」

「今なら」

ルウラは倒したアーニア兵を貪《むさぼ》り食っていた。
「おし、イーナは敵の隊長を射貫け」
ユルキが指を三本立てる。
イーナが矢筒から矢を取って弓につがえる。
ユルキが指を二本に減らし、
イーナが生成魔法【加速】を矢に乗せる。
風を生成して物体の速度を向上させる魔法だ。
ユルキが指を一本に。
そしてその指を斜め下に向ける。
マルクスが【水牢】を使用。それと同時にイーナが矢を放つ。
ルウラの顔面に水球が生成され、ルウラが混乱してもがく。
イーナの矢は敵の隊長の頭を斜めに貫通して地面に刺さった。
「敵だぁぁ！　上だ！　屋根の上にいるぞ！」
敵兵が叫び、剣を抜く。
「さぁどうやってここまで来るのかねぇ」
呟きながら、ユルキも矢を用意。
すぐに射る。敵兵の胸に刺さり、敵兵が倒れる。
これで二人死亡。

イーナが再び【加速】を乗せた矢を放つ。

しかし、敵兵はその矢を剣で弾いた。

「嘘《うそ》だろ……？」

次の矢を用意していたユルキの動きが止まる。

イーナの放った【加速】付与の矢の速度は、簡単に弾けるようなものではない。

少なくとも、ユルキには無理だ。

と、その敵兵がジャンプした。

魔法も何も使わず、一度のジャンプで彼は屋根の上に着地。

見たところ、年齢はユルキと同じぐらい。一八歳前後。肩まで伸ばした銀髪に、小綺麗《こぎれい》な顔立ち。

身長はユルキより少し低い。

ユルキは即座に弓を仕舞って短剣を両手に装備。

更にルウラの状況をチラッと確認――まだ死んでいない。

ならばマルクスの護衛が最優先。魔物だけは倒す。でないとアスラに何を言われるか。

「面白いね、君たち」

銀髪の敵兵が言った。

銀髪の人間は性格が歪《ゆが》んでいる。今のところ全員漏れなく歪んでいた。まぁ団長しか知らねぇけど、
とユルキは思った。

「お前、結構やるじゃねぇか」

話ができるなら、時間を稼ぐ。

目的は魔物の討伐。他は最悪、倒せなくてもいい。

「もう帰っていいよー。どうせルウラも死んじゃうからさー」

ニコニコと笑いながら銀髪の敵兵が言った。

下でどうしていいか分からず、こっちを見ているだけの二人に言ったのだ。

その二人はなんの躊躇《ちゅうちょ》もなく走り去った。

この銀髪に任せれば大丈夫、ということか。

「よぉ、名前聞いとくぜ」

「んー？　僕？」

「お前と話してんだろうが」

「そっちが先に名乗りなよー」

銀髪は楽しそうに笑っている。

「俺は傭兵団《月花》のユルキ・クーセラ。そっちは妹分のイーナ・クーセラ。んで、魔法使ってる大男は……」

「蒼空《そうくう》騎士団のマルクス・レドフォード」銀髪がユルキを遮って言った。「英雄選抜試験に二回出たよね？」

「今は傭兵団《月花》だ」

マルクスも短剣を構える。

つまり、ルウラは死んだということ。

どうするべきだ？

数的優位ではあるが、相手の実力はかなり高い。

◇

ルミアがアイコンタクトで【閃光弾《せんこう》】を使うと言ってきた。

アスラは首を左右に振った。

それじゃあ面白くない。それに、少年に見せてあげなくては。テルバエ魔物小隊が壊滅する様子を。

「手ぇ出すんじゃねぇぞぉ！」

魔物小隊の中でも大柄な男が、剣を抜かないままアスラに向かって来た。

「ほう。せっかく魔物がいるのに、使わないのかい？」

「黙れクソガキがぁ！　よくも俺のダチをやってくれたな!!」大柄な男が拳を振り上げる。「てめぇは半殺しにして死ぬほど犯してから地獄に売ってやらぁ!!」

男の拳は右。

アスラは右半身で立ち、男の拳を同じく右手の甲で逸らす。

それと同時に膝を抜き、倒れる力を利用しながら素早く男の裏——背中側へと回り込む。

そしてブーツの先で金玉を蹴り上げた。

男が断末魔のような悲鳴を上げながら地面を転がり回った。

「あは。今のは潰れたね」

アスラは前世では男だったので、そこが急所であることをよく知っている。

「フルアーマーだったら良かったのに、軽装だからさ、ふふ」アスラが笑う。「これで君の大好きな、戦場で女を犯すって行為ができなくなったね。悲しいかい？　死ぬほど悲しいかい？」

「ゆるざねぇぇ」

男は半泣きになりながらアスラを睨《にら》み付ける。

しかしまだ起き上がれない。

「ははっ、私を舐めるからだよ？　遠慮せず魔物を使いたまえよ」

「ギーテ！　そのガキを殺せ！」

魔物小隊の隊長が命令した。

なるほど、魔物の名前はギーテか、とアスラは思った。

まぁ、その名を覚えておくつもりはないけれど。

ギーテが一度吠《ほ》えてから、二足歩行でアスラへと突進。

「お、これは速いなぁ……」

ギーテが右手を振りかぶり、アスラを叩《たた》く。

アスラは左腕でその攻撃をガードしたが、弾き飛ばされて地面を転がった。

普通の人間なら即死。

そういう威力の攻撃だった。

しかしアスラはムクッと起き上がる。

「死ぬかと思ったよ……ふふ」

アスラの身体は金色の光を微かに放っている。

これはルミアの支援魔法【外套纏《がいとうまとい》】。光の鎧《よろい》で防御力を格段に上げることができる。ただし持続時間はさほど長くない。

ルミアが全力だったとしても、二分程度。

魔法に込めた魔力量によって持続時間が変わる。

「あは。痛いなぁ」アスラの左腕はダラリと垂れ下がったまま。「折れちゃったじゃないか。ああ、痛い。痛くて興奮してしまうよ。たまらないなぁ。楽しいなぁ。楽しいね。命のやり取りは最高だね」

アスラが笑う。とっても幸福そうに。

その様子を見たギーテが、一歩後退。

「私が怖いかギーテ？　冗談だろう？　君は中位の魔物。人間より力が強く、人間より速く動ける。なのに私を恐れるのかい？　どうして？　私はまだ何もしていないよ？」

一方的に叩かれただけ。

それだけなのだ。

ふと魔物小隊の連中を見ると、彼らの表情が凍り付いていた。

まるで超自然災害《魔王》に遭遇した時のように。

「おいおい。私がなんとか生きているのはね、ルミアの魔法のおかげで、別に私は不死身ではないよ？　ただの、普通の、人間だよ？　剣で斬られれば死ぬし、矢で射貫かれても死ぬ。殴り殺すことだってきっとできる。恐れる必要はない。続きをやろうよ？」

アスラが小さく右手を広げ、一歩だけ前進する。

しかしギーテは動かない。

「魔法なんて関係ないわ」ルミアが言った。「アスラ。わたしも時々あなたが怖い」

「……まだ何もしていないのに？」

アスラは意味が分からない、という風に溜息《ためいき》を吐いた。

「なんだか冷めてしまったなぁ」

さっきまで高揚していた気分が一気に下がる。

だけれど。

まぁいいか、と思う。

これは所詮、訓練の延長に過ぎない。

ガチの戦闘だったなら、最初に【閃光弾】を使っている。

敵の目が眩《くら》んだところで、素早く全員の喉を裂く。ギーテには刃が通らなければ【地雷】を七枚全部貼り付けて吹き飛ばす。それで終了。

「ルミア、攻守交代。私がその子の護衛、ルミアが攻めたまえ。きっちり殺すんだよ？　今回は歩合制だからね」

前金の一万ドーラはすでに貰《もら》ってある。

成功報酬は魔物一匹につき五万ドーラ。四匹全て狩れば合計二一万ドーラも稼ぐことができる。

「……今の装備で、その魔物を殺しきれないわ」

「冗談言うなよルミア。攻撃魔法を使いたまえ。君が忌《い》み嫌っている究極の攻撃魔法を」

通常、どの属性の攻撃魔法も大抵はそれほど強くない。

だがルミアの属性だけは別だ。

ルミアは自分の魔法を光属性に見せかけているだけで、本当は固有属性を使用している。

他に類を見ないほどの超攻撃特化型の固有属性。

いや、戦闘特化型か。

支援魔法【外套纏】、生成魔法【閃光弾】、そして回復魔法。戦闘に必要な全てが揃《そろ》っている。

「せ、攻めろギーテ！　殺すんだ！　そのガキはもう光ってないぞ！」

敵の隊長が叫んだ。

事実、【外套纏】の効果は切れていた。

「ルミア。私の命令が聞けないなら団から出て行ってくれ。約束だろう？　任務中は私の命令を聞く。その代わり、君の言う曖昧な一線とやらを私が超えた時は、容赦なく私を殺せばいい。もちろん抵抗はするがね」

ギーテは少し戸惑っていたが、「やるんだギーテ！」という隊長の声で、ギーテが吠える。

「さぁルミア、敵が来るよ？　敵が来るよ？　恐れながらも向かってくるよ？　どうするルミア？」

ギーテが再びアスラに向かって突進する。

ルミアは少しだけ辛そうな表情を見せて、
だけど、

「……【神罰】」

その魔法を使った。

次の瞬間、ギーテは八つの肉塊となって転がった。

ギーテをバラバラにして、辺り一面を血の海に変えたのは天使。

大剣を携えた、美しき天使。

純白の翼に、透き通るような白い肌。色素の薄い金髪の上には、光の輪っか。

「使うと思っていたよルミア。知っていたよ。君は本当はこっち側なんだよね。聖人君子の振りをしているだけでね。だってそうだろう？　その魔法を見せてしまったからには、皆殺しにするしかない。君の愛しくもおぞましい正体を知られるわけには、いかないのだから」

ルミアはずっと闇の中。アスラと出会った時、すでに闇に堕ちたあとだった。

「君は罪の意識が強いみたいだけど、過ぎたことは忘れて、私と楽しもう。私と戦争を遊ぼう。君がかつて、そうしていたように」

見たことはない。その時のルミアをアスラは知らない。

話に聞いただけ。

でも、ずっと前に戦うルミアを見て悟った。

同じ人種なのだと。

「その魔法……」敵の隊長が言う。「死の天使……【神罰】……？　まさか、まさかお前……あの……大虐殺の……」

次の瞬間には、天使が隊長を斬り裂いていた。

そして続けて残りの三人も斬り刻んだ。

天使は優しい表情を浮かべ、虚空へと消えた。

「わたしは二度と、そうはならない」ルミアが淡々と言った。「そして、あなたも」

「あっさり殺しておいてよく言うよ。合図を頼む」

アスラが言うと、ルミアは矢を一本抜いて弓につがえる。

そして天に向けて放った。

その矢は大きな音を放ちながら飛ぶ。

鏑矢《かぶらや》と呼ばれる種類の矢で、魔物を一匹倒したという合図のために使ったのだ。

「いつか君が、本当の自分に戻れるといいのだけどね」

ルミアには聞こえないように。

小さな声でアスラは呟いた。

正々堂々と戦ったら、フェアプレーポイントでもくれるのかい？

「そんでお前は誰様なわけ？」

ユルキが銀髪の少年に問う。

「僕はプンティ。一応、次の英雄選抜試験に出る予定。まぁ、マルクス・レドフォードと違って落ちたりしないと思うけどね」

銀髪の少年――プンティは楽しそうに笑った。

「よぉマルクス、あんたでも落ちるんだな。つか、英雄候補だったのも初耳だぜ」

「英雄の称号が簡単に手に入るものか」

「そりゃそうか」

英雄には義務と特権がある。そしてその称号を得られるのは圧倒的に優れた戦闘能力を持つ者のみ。

「とりあえず、マルクス・レドフォードと愉快な仲間たちに勝てないようじゃ、僕も落ちちゃうからね。君たちを腕試しに使わせてもらうよ」

プンティがゆっくりと剣を構える。

「ちっ、なんでお前みたいなのが魔物小隊にいるんだって話だ」

想定外も想定外。

「考えれば分かるんじゃない？」プンティが首を傾げる。「それともバカなの？」

「……ユルキ兄をバカにするな」イーナが怒ったように言う。「ユルキ兄はちょっとバカなだけ……」

「全然フォローになってねぇ、ってか、イーナ俺のことそんな風に思ってたの？」

「魔物を制御できなかった場合の保険、といったところだろう」

マルクスはとっても冷静だった。

「あー、それそれ。俺もそう言おうとしたんだぜ？」

まぁ、それが事実ならプンティは単独で中位の魔物を倒すだけの実力があるということ。

撤退したいところだが、逃がしてくれる様子はない。

と、少し離れた空を鏑矢《かぶらや》が飛んだ。

その音にプンティが意識を向ける。

今しかねぇよな。

ユルキがハンドサインを出す。

「おっと」

プンティが一歩だけ移動。

さっきまでプンティの顔があったところに【水牢《ろう》】が生成される。

プンティが移動した場所にイーナが矢を放つ。当然【加速】有り。

しかしプンティはその矢を剣で弾く。

その隙を突いて、ユルキが距離を詰めて右の短剣で斬り付けるが、躱《かわ》される。

同時にユルキの左腕に【加速】が乗る。

逆手で持った左の短剣を、プンティの首めがけて殴るような感じで振り抜く。

もちろん、これが本命の攻撃。今までの攻撃は全て囮《おとり》。

「いい連携だね。かなり訓練した？」

しかしプンティは躱した。

完全回避されたわけではない。プンティの首から血が流れている。でも、致命傷でないのは明らか。

皮だけしか斬れなかったのだ。

「ムーブ！」

ユルキが叫びながら後方へと飛ぶ。プンティたち魔物小隊がいた通りとは逆側の地面へと着地。

イーナとマルクスがお互いと逆方向に飛んだのをユルキは確認していた。

三人は東と西と南にそれぞれ散開したということ。

プンティはユルキを追って来ていない。

あの様子ならほぼ間違いなくマルクスを追ったはず。

「クソ、ありゃマジで強いな……。マルクスより上っぽいな」

まぁでも、とユルキは思う。

「うちらは愉快で姑息《こそく》な傭兵《ようへい》団ってね」

格上とは基本的に戦わない方がいい。

しかしどうしても撤退できない場合もある。

そして相手が単独であるなら、

「頼んだぜマルクス、イーナ」

倒すのはイーナだ。

◇

プンティは迷わずマルクスを追って飛んだ。

着地すると同時に一閃《いっせん》するが、マルクスは上手に短剣で受け流した。

「やるぅ！　さすが蒼空《そうくう》騎士団の次期団長とまで言われた男！」

更に斬り付けるが、マルクスは短剣だけで綺麗《きれい》にガードする。

できるなら、とプンティは思う。

剣を握ったマルクスと戦いたい。

「……お前は広い世界を知らない」とマルクスが言った。

「なにそれ？　経験不足って言いたいわけ？」

プンティは攻撃の手を休めない。

マルクスはきちんとガードしているが、少しずつ後方に下がっている。

勝てる。マルクス・レドフォードに勝てる。

プンティはマルクスと違ってそれほど名前が売れていない。だからこれは最高のチャンスなのだ。

マルクスを倒した者として、英雄選抜試験に殴り込む。

「いや。そういう意味ではない」

「んじゃあどういう意味さ！」

プンティがそう言った瞬間、マルクスが右に飛んだ。

さっきまでマルクスがいた方向から矢が飛んでくる。プンティにとっては完全に死角だった。

こいつらの連携は半端じゃない。マルクスは背中に目でもあるのかと疑いたくなる。

飛んで来た矢は普通の矢よりずっと速い矢。

目付きの悪い黒髪の胸なし女か——名前を聞いた気がするけれど、もう忘れた。

プンティは身体を捻って、なんとかその矢を躱す。

しかし避けきれず、左腕を掠《かす》めた。僅かな痛み。だがどうってことはない。

体勢が崩れたところに、マルクスが飛び込んでくる。

プンティはマルクスの短剣も躱す。

躱すと同時に少し飛んで間合いを取る。

「素早い動きだ。自分では追い切れないな」

言葉通り、マルクスは追ってこなかった。

プンティは矢を警戒しながら剣を構え直す。

「ふふ、広い世界って、連携のこと言ってたのかな？　でも残念、僕には通用しない」

「いや違う」マルクスが首を振る。「自分はそれほど強くない。だから自分に勝ったところでなんの自慢にもなりはしないだろう」

「はっ！　蒼空騎士団のマルクス・レドフォードがそれほど強くないって⁉　バカも休み休み言えって！」

「自分は傭兵団《月花《つきばな》》のマルクスだ。それと、今はいないが、うちの団長と副長は自分を子供扱いするレベルの強さだ」

「へぇ。それが本当なら、ぜひ会いたいねぇ」

会って戦って、そして勝つ。傭兵団《月花》なんて聞いたこともない。英雄クラスの人間が立ち上げた団なら、耳に入るはずだ。

つまり、団長も副長も英雄ではない。しかしマルクスよりは強い。そうなると、腕試しに最適だとプンティは思った。

「副長はまだしも、団長に会うと後悔するから止めておけ。絶対に止めておけ」

「それはますます会ってみたいねぇ」

「もしも今後、会う機会があったとしよう」マルクスは真剣な表情で言う。「《月花》に入らないかと誘われたら断った方がいい。絶対にだ。いいか？　自分は忠告したぞ」

「入りゃしないよ。傭兵なんてごめんだね。ただ、会って倒したいってだけ」

「いや無理だ。団長は正々堂々とはかけ離れた人間だ。お前のような真っ直ぐなタイプはまず勝てない」マルクスが少し笑った。「だがお前は幸運だ。少なくとも、団長に会うことなく死ねるかもしれん。こちらの指揮官次第だが」

「はぁ？　何を……言って……」

あれ？

身体が、
痺《しび》れて、
プンティは剣を杖《つえ》代わりにしてなんとかその場に踏み止まった。

「さっきの矢……毒か何か塗ってたわけね……汚い手を……」

そして今までの会話も、毒が回るまでの時間稼ぎだったということ。

「イーナの矢には全て毒が仕込まれている。掠めた時点でお前の負けだった。言い忘れたが、団長が卑劣なら当然、自分たち団員もそうなる。さて、どうする指揮官？」

「んー？　どうすっかなぁ。こいつ殺すメリットねぇんだよなぁ。連れて帰って団長に会わせてやるのも面白そうだけど、イーナどう思う？」

民家の窓からユルキが顔を出している。

ああ、なるほど、とプンティは察した。

そこから何かしらの攻撃を加える予定だったのだ、ユルキは。

しかしマルクスが時間稼ぎを始めたから黙って見ていた、といったところか。

どこまでも姑息な連中だ。

「……えい」

背後から黒髪胸なし女の声が聞こえたと同時、
プンティの股間に激しい痛みが走る。
悲鳴を上げたかったが、潰れたカエルみたいな「ぐべぇ」という無様な声しか出なかった。
プンティは自分の身体を支えることもできず、地面に倒れ込む。
「……いじめて殺すのがいい……」
「それはちょっと俺向きじゃねぇな。殺すならスパッとやろうぜ？」
恍惚《こうこつ》とした黒髪胸なし女の声と、ユルキの憐《あわ》れみを含んだ声が聞こえた。
もしも、
もしもの話だけれど、
何かの気まぐれで、
こいつらが僕を殺さなかったら、
もし僕が生き残ることができたら、
絶対あの黒髪胸なし女だけは殺してやる。
そう神様に誓って、
プンティは意識を失った。

◇

バラバラに散らばった死体が血の海に浮かんでいる――アスラは【神罰】の対象となった連中の成れの果てを見てそう思った。

「いい景色だね。……ところで少年。行くアテはあるのかい？」

アスラが質問するが、少年は返事をしない。

少年は夢でも見ているようにぼんやりしていた。

殺戮《さつりく》の余韻に浸っているのだろう、とアスラは思った。

「素晴らしいほど一方的な虐殺だっただろう？　私は好きだよ、ああいうの。君もそうかい少年？」

アスラは右手で少年の頭を撫《な》でた。

左腕はまだ垂れ下がったまま。

「あ、えっと……、その、仇討《あだう》ち、ありがとうございました……」

「ああ。気にしなくていい。任務のついでさ。それで？　行くアテはあるのかい？」

「伯父さんがテラスの村で、家畜を育ててるから……そこに……」

「はん！　家畜だって⁉　君はこれから一生、伯父さんと家畜を育てて生きるのかい⁉　確かに一生食っていけるいい仕事だけど、君には向いてない！」

「でも、オレ、他に行くところが……」

「傭兵なんてどうだい？」

「え？」

アスラの言葉に、少年は目を丸くした。

ルミアも驚いたような表情をしていた。

「君はなかなかいいよ少年。たった一人で魔物小隊から逃げた。大抵の奴は震えながら、殺されるのをただ待っていただろう？　でも君は逃げることを選択した。機転が利く上に運もいい。それに何より、目を瞑《つむ》ることもなく連中がバラバラになるザマを見ていた。スカッとしたんだろう？」

アスラが笑うと、少年も笑った。

そして少年が頷《うなず》く。

「ふふ。君は目の前で家族を殺されたトラウマから、心を壊したのさ。もう立派な社会病質者さ。伯父のところで家畜を育てても君の心は晴れない。さっきも言ったけど、畜産業はいい仕事だよ。でも君には向かない。だから絶対に鬱憤《うっぷん》が溜《た》まる」

アスラの言葉を、少年は真剣に聞いていた。

「そして鬱憤はやがて周囲への攻撃性へと変貌するだろう。なんなら人を殺すかもね。いや、君に限っては、ほぼ間違いなく殺す。殺人鬼になるぐらいなら、うちで傭兵をやるといい。敵を殺して褒められる上に、金まで貰《もら》える」

少年は少しだけ考えるような仕草を見せた。

「アスラ。その子が殺人鬼になるなんて、どうして断言できるの？」

ルミアが言った。

「おいおい。この少年はこの光景を見て笑えるんだよ？」

血と肉塊。

死と絶望。

燃える村に、戦場の匂い。

「そんなのマトモじゃないだろう？　私や君と同じ種類の人間なんだよ」

「わたしは別に、この光景が好きなわけじゃないわ」

「でも平気。特に何を想うわけでもない。だろう？」

「想うことはあるわよ。またやってしまった、という後悔だけれど」

「そして私の命令だから、という言い訳だね？」

「言い訳じゃなくて事実そうでしょう？」

「まぁ、そういうことにしておこう。ああそうだ、心配しなくても、みんなのいる前で【神罰】を使えと命令はしないよ」

それを使えばルミアの正体がバレる。

けれど。

仲間たちは受け入れるだろう、とアスラは思った。

あとは、ルミアに自分を晒《さら》す勇気があれば解決だ。

ついでに、本当の自分を受け入れる勇気もあれば人生を楽しめるのだが。

と、鏑矢の音が聞こえた。

「どうやら、あっちも片付けたらしい。これで残り一匹か」

「そうね。次はどうするの？」

「どうもしない。ユルキたちに任せるさ。それより少年、考えはまとまったかい？」

「オレ、傭兵になるよお姉ちゃん」

少年は家畜の世話より戦闘を選んだ。

「ならば今日から私のことは団長と呼べ。お前の名と年齢は？」

「レコ、一一歳」

「よろしい。君は傭兵団《月花》の一員だ。立派な魔法兵にしてあげるよ」アスラが楽しそうに笑う。

「ああ、早く帰ってサルメを買い上げて、レコと一緒に育てたいなぁ。ルミアは知ってるだろうけど、私は育成が大好きなんだよ」

「……あれを育成と呼ぶのなら、そうでしょうね……。可哀想に……」

ルミアは小さく首を振った。

「ふふふ、まずはどうしようかな」アスラの表情が緩む。「私の基礎訓練過程は……さすがにまだ早いか……フィジカルからかな？　それとも魔法から？　いや、命令に絶対服従する精神を叩《たた》き込むところから？　あぁ、楽しいなぁ」

「……アスラの英才教育を受ける最初の人間になるのね……」

ルミアが優しくレコを抱き締めた。

マルクス、ユルキ、イーナは最初から戦闘能力が高かった。だから基礎訓練過程だけで良かったのだが、レコは本当の本当に最初から鍛え上げなくてはいけない。

「ああ、神様……レコにどうか強い心を与えてください……」

一章　六話

絶望と後悔は好きかい？　嫌い？　だったら好きになった方がいい。これから味わうのだから

アスラたちは魔物小隊を一隊残したまま合流した。

ブルーセクションもレッドセクションも四隊目を探さなかったからだ。

「私はてっきり、君たちが残りの一小隊も倒すと思っていたよ」

やれやれ、とアスラが肩を竦《すく》めた。

「しゃーないっすよ。イーナとマルクスの魔力が空だったんで。すんません」

「……あたしのせいにした……？」

「自分のせいにもしたな。こんな指揮官は嫌だな」

ユルキの言い訳に、イーナとマルクスが苦笑い。

そもそも、二人の魔力はまだ残っている。

「別に怒っちゃいないよ」

「い、今から探しに……」

ユルキが引きつった表情で言ったが、言葉の途中でアスラが「その必要はない」と遮った。

「もう撤退しているだろうね。戦場の様子でだいたい分かるだろう？　いないよ、もう。撤退の理由はいくつか考えられるけど、まぁどうでもいい」

たぶん、仲間が次々と倒されていることに気付いたのだろう、とアスラは思った。

「……本当、俺の判断ミスっす。イーナとマルクスが倒れるまで戦えば良かったっす」

「いや、だから私は怒ってないってば。今回は歩合制だったからね。絶対に全部倒さなきゃいけない任務じゃない」

「あ、そうっすか。そうっすよね！」

ユルキが安心したように表情を綻《ほころ》ばせる。

「だがね、その銀髪は誰だい？　なんで引きずって来たのかだけ説明しておくれ」

マルクスが右手で銀髪の少年の左足首を摑《つか》んでいる。

「英雄候補らしいです。名前はプンティ」とマルクス。

「団長に会いたいって言ってたんで、一応連れてきたっす」

「でも……敵兵だから……団長がいいなら、あたしがいじめ殺す……」

「ダメよ」ルミアがイーナに微笑みかける。「もう戦闘は終わったのだから、ここから先はただの人殺しでしょう？」

「……やっぱりさっき、殺せば良かった……」

イーナがボソッと言った。

ルミアは聞こえない振りをした。

「私に会いたい理由は？　入団希望なら歓迎するよ？　なんせ私の夢は歴史に残る大傭兵《ようへい》団を作ることだからね」

アスラの表情がパッと明るくなる。

「いえ。それは否定しました。傭兵になることはないでしょう」

「団長と戦ってみたいとか、そんな感じっすよ」

「じゃあ捨ててしまえ。私の方はそいつに用はない。殺す理由もないし、アーニア軍に差し出す義理もない。サービス期間は終わったんだよ」

アスラがムスッとした表情を見せる。

「了解」

マルクスはプンティの左足首を離す。

「ところで、そのガキは誰っすかね？」

「……あたしがいじめ殺していいガキ？」

「逃げ遅れた村人を副長が保護したのだろう」

「ふっふっふ」アスラが胸を張って笑う。「この子はレコ。今日から私たちの仲間だ」

アスラは右手をレコの頭に置いた。ちなみに左腕はまだブラブラしている。

城下町に戻ったら、ルミアの回復魔法で治してもらう予定だ。

ルミアの回復魔法はどんな怪我も病気も治すことができる。ただし、非常に時間がかかるので、大怪我だったら治る前に死ぬ。

「よろしく」

レコは特に緊張した様子もなく言った。

レコは茶色の髪に、年相応の顔立ち。特に不細工でもないが、将来有望なイケメンでもない。

「ああ、よろしく。俺らの仲間かぁ。へぇ仲間……仲間⁉　そのガキがっすか⁉」

「……仲間は殺せない……つまんない……」

「団長。小さな子を騙《だま》すような真似は感心できません。《月花《つきばな》》がどういうところか、いえ、団長がどういう人間なのかちゃんと説明しましたか？」

「マルクス、説明は不要だよ。なぜなら、レコは私とルミアが戦うところを見ている。それで十分だろう？」

「……団長の戦いを見て決めたのなら、自分はもう何も言いません」

マルクスが小さく肩を竦めた。

「まぁ、まだ実戦投入は考えてないよ。基礎訓練過程に進むため、もっと基本的な戦闘能力を引き上げるところから育成する。君たちも協力するように」

アスラが基礎訓練過程と言った時、ユルキ、イーナ、マルクスの顔が引きつった。

「おい、レコっつったか？　俺はユルキだ。《月花》最高のイケメンだ。よろしく頼むぜ？　地獄へようこそ」

「……生き残って不運だったね……。あたしはイーナ。《月花》の癒し担当。……地獄へようこそ」

「もう後戻りはできないぞ？　後悔するな？　自分はマルクス。魔法にロマンを感じる男だ。あと、《月花》に癒しはない。地獄へようこそ」

◇

アスラたちは昨日と同じ酒場を貸し切って食事をしていた。

今日は昨日のような豪遊ではないが、料理自体は豪勢な物だった。

「食べながらでいいから聞いてくれたまえ」

アスラが言った。

左腕は添え木をして包帯で巻いて首から吊《つ》っている。アーニア軍の医療部隊に応急処置だけ頼んだのだ。

実は酷《ひど》く痛むので、早くルミアの回復魔法で癒したい。

「今回の報酬は一五万ドーラ。まぁ、まだ受け取りに行ってないけど」

「んじゃあ、一人どんぐらいっすかねぇ？」

「……えっと……あたしの指……足りない……」

イーナが数えようとして両手を持ち上げたが、指が一五本もないことを思い出した。

「……君ら二人は今度、座学をやろう。戦闘訓練ばかりに気を取られて、頭を鍛えるのをすっかり忘れていたよ」

「五人で分けたら三万ドーラ。なんで分からないの？　バカなの？」

レコが首を傾げる。

「んだとこのガキ！　ぶちのめすぞ!?」

「……生意気言うと、ブーツに砂入れてやるから……」

「ほう。最近、自分のブーツによく砂が入っているんだが、イーナの仕業だったか。あとで殴ってもいいか？」

「諸君、話が進まないから黙れ。黙らないならケツの穴に棒を突っ込んでかき回すよ？」

アスラがそう言うと、三人は即座に沈黙した。

三人とも、拷問訓練で嫌というほどかき回されたからだ。

「本題なんだけど、報酬は八万ドーラを私とレコ以外の四人で分ける形にしてもいいかな？」

「団長、七万ドーラでサルメを買うということでしょうか？」

「ああ、そうだよマルクス。君らがよければ、だけど」

さすがにマルクスは計算もできるし察しもいい。頭が悪いと騎士団には入れないのだから、当然といえば当然だが。

「俺は別にいいっすよ。団長の夢、えっと、団員増やして歴史に残る大傭兵団を作るっての、俺も興味あるっす。歴史に残るってカッコいいっす」

「そうだろう？」アスラが微笑む。「私の目的は戦争そのものだけど、団としての目標もあった方がいいと思ってね。具体的には追々詰めるとして、今はふわっと夢って感じで」

「ふぅん……。団長って、本当に戦争……好きだね……。サルメの件はどっちでもいい……」

「楽しいからね。てゆーか楽しいってのが私の動機の全てだよ」

「自分は反対ですね。あ、傭兵団を大きくするのには賛成です。まともそうな少女を引き込むことに反対、という意味ですな」

「心配しなくても、サルメが嫌だと言えばこの話はなかったことになる」

アスラが肩を竦めた。

「サルメの意思を尊重するのであれば、自分は何も言いません」

「よろしい。ではルミアはどう思う？」

「私は賛成よ」ルミアが言う。「レコに同期がいた方がいいと思うの。一人で基礎訓練過程を抜けるのは難しいでしょう？　支え合う同期が必要じゃないか、って思うの」

ルミアの発言に、ユルキ、イーナ、マルクスが深く頷《うなず》いた。

アスラは団を立ち上げ、仲間を集め、四人同時に基礎訓練過程を受けさせた。

「よし。なら明日、私が金を受け取ってそのままサルメを買いに行くとしよう。君たちはオフでいい。買い物でも楽しみたまえ。あ、レコは私と来い」

「はい団長」

レコは素直に頷いた。

「さて、結局みんな食事が止まってしまったね。さっさと食べて宿に戻……」

「お邪魔しますよ！」

アスラの言葉が終わる前に、誰かが酒場の入り口を乱暴に開いた。

そしてゾロゾロと男たちが入ってくる。

先頭の男はデップリと太っていて、ヘラヘラと笑っている。高価な服を着ていて、色とりどりの宝石のアクセサリーで自分を飾っていた。

年齢的には四〇歳ぐらいだろうか、とアスラは予想した。

そのデブのあとから、アーニア王国の憲兵が三人続いた。

更にその後方には、見るからにチンピラだと分かる男が三人。

チンピラの一人はモヒカンヘアーにしていて、手に鎖を引いている。

そして、

「サルメ……」

アスラが呟《つぶや》いた。

モヒカンの鎖の先に、全裸のサルメがいた。

鎖はサルメの首輪に繋《つな》がっている。

それだけでも異様な光景なのに、サルメは全身に痣《あざ》を作っていた。

「傭兵団《月花》の方々に商談がありましてねぇ」デブがヘラヘラと笑いながら言った。「わたくしは商人のウーノ・ハッシネン。お見知りおきを」

「団長のアスラ・リョナだ。商談の内容は？」

まぁ、だいたい分かるけれど。

ウーノが右手の指をパチンと鳴らす。

モヒカンがサルメを乱暴に引っ張って、ウーノの隣に立たせた。

「お嬢さんが団長だと聞いてはいましたが、本当にお嬢さんですねぇ」

「いいから用件を言いたまえ」

「ほっほっほ。そうですねぇ。この少女なんですがね、わたくしが七万ドーラで購入しましてね。今日中うちの連中の玩具にしていたのですが、《月花》のみなさんが一五万ドーラで買いたいという噂《うわさ》を聞きましてねぇ」

「ユルキ、座れ。命令だよ。イーナ、短剣に触るな。マルクス、落ち着け。ウーノと一緒にいるのは本物の憲兵みたいだからねぇ」

サルメの姿を見た瞬間から、団員たちが怒っているのが分かった。

そしてウーノが「玩具にしていた」と言ったせいで、団員たちに殺気が生まれた。

ルミアですら殺気立っている。アスラが冷静でいなければ、ここが戦場になる。

……まぁそれでもいいけど、とアスラは思った。

「さすが団長殿。いやはや、実にその通り。彼らは本物の憲兵ですねぇ。もしも、みなさんがわたくしに手を出すようなことがあれば、明日からもうアーニアの街を歩くことはできませんよぉ？なにせ、犯罪者になってしまいますからねぇ」

ウーノは相変わらず、ヘラヘラと笑っていた。

「私たちの報酬が一五万だと、よく知っていたね。サルメを買おうとしていたことも。どこで仕入れたんだい？」

これもだいたい分かる。一五万と言ったのはついさっきのこと。

ウーノたちが現れたタイミング的に、酒場の店主か配膳係の青年のどっちかだろう。

更に言うと、酒場の裏口にウーノの部下が待機していて、情報を聞いたのち、表に回ってみんなで仲良くゾロゾロ入ってきた、と言ったところか——アスラはそこまで推測した。

「わたくしは商人ですからねぇ。情報は命の次に大切なんですよぉ。そのモットーのおかげで、一代でここまで成り上がったわけですが」

「ふん。商人というか転売屋だね。しかもクソみたいな転売屋」

ウーノに聞こえないように、アスラは小さく呟いた。

「ちなみに、ですがぁ。この少女を《月花》さんが買ってくれないとなると、この少女が今後どうなるかお聞きになりたいですかねぇ？」

「いや。その必要はない。一五万ドーラだったかな？」

「はいです。ちなみに、一切の値引き交渉は行いませんのであしからず」

「ふむ。少し昔話をしよう」アスラが淡々と言う。「前世でも私は傭兵団の団長だったんだけどね、その時にミドルイーストという地方の反政府軍に雇われたことがあったんだよ」

アスラが話を始めると、ウーノは怪訝《けげん》そうな表情を見せた。

「私たちの活躍に気を良くした彼らが、私たちをある建物に案内したんだよね。彼らの支配地域は、まぁそれなりに平和だったよ。仮初《かりそ》めの、と言ってもいいんだけどね。それでまぁ、建物に入ってビックリしたよ。なんと性奴隷の少女たちがいたのさ。彼らが捕まえてそうしていたんだよね」

「なんの話をしているのですかねぇ……」

「黙って聞け。ここからが面白い」アスラがクスッと笑った。「いやぁ、誰かが始めちゃってさ。性行為じゃなくて、戦争を。くくっ、気に食わなかったんだろうねぇ。性奴隷ってのがさ。反政府軍を皆殺しにしちゃったんだよね。ははっ、笑えるだろう？　私たちは信用を失って、そこから立て直すのに苦労したけど、いい気分だったなぁ」

あの時、誰が始めたのか本当は知っていたけれど、面白かったからアスラは咎《とが》めなかった。

「私らはさぁ、誰かが始めちゃったら、とりあえず乗るんだよね。そういう性質なんだよ。意味分かるかい？　この話の要点、理解できたかデブ？」

「わたくしに手を出せば……」

ウーノはアスラの言いたいことを理解した。

団員がキレても私は止めない――アスラはそう言ったのだ。

「犯罪者だろう？　あぁ、分かっているとも。私としては、しばらくアーニアで仕事をしたい。だから気は進まないさ。そこで君にチャンスをあげよう。恫喝《どうかつ》する相手を間違えた愚かなチンピラどもに、優しい私が素晴らしいチャンスを与えよう」

「こちらには本物の憲兵と、用心棒の先生方がいるんですよ？　傭兵団だかなんだか知りませんがね、調子に乗るなら少し痛い目……」

「黙れよデブ」ユルキが言う。「うちの団長が話してる途中だろうが。ぶっ殺すぞ？」

「……皆殺し、皆殺し、皆殺し……」

イーナがテンポ良くリズミカルに呟いている。

団員たちのやる気は十分。

相手がクズならルミアもきっと止めない。

「話の分からない連中ですねぇ」

ウーノの表情に怒りの色が浮かぶ。

「まぁ落ち着きたまえよ。どんなチャンスかぐらいは確認してもいいはずだよ?」

アスラは右手をローブの下のズボンのポケットに入れる。

そして一ドーラ硬貨を取り出し、親指で弾いた。

硬貨はクルクルと回転しながら弧を描き、ウーノの前に落ちた。

「それでサルメを買ってあげよう。さぁ拾え。拾ったならサルメを置いて出て行け。運がいいよ君たち。それで命が買えるのだから。今夜は私の優しさを噛《か》み締めて眠るといい」

一章　七話

自由のコインを拾ったらどうする？　もう一度捨てる。それから活き活きと地獄を駆け回る

「どうやら、わたくしを舐《な》めていらっしゃるようですねぇ」

ウーノがやれやれと首を振った。

それがあまりにも面白かったので、アスラは声を出して笑った。

アスラに釣られて団員たちもみんな笑った。

「な、何がおかしいんですか⁉　ぶち殺しますよ⁉」

ウーノが叫ぶと、三人のチンピラがそれぞれ剣を抜いた。続いて、憲兵三人も剣を構える。

「いやいや、これは愉快だね」アスラが言う。「逆だよ逆。君らが私たちを舐めてるのさ。傭兵団《ようへいだん》《月花《つきばな》》を舐めてる。拾いなよ、その一ドーラ。ハッキリ言っておくけど、拾わないなら皆殺しだよ？」

「ふざけるなっ！　手を出した瞬間に憲兵が山のように押しかけ……え？」

憲兵三人の額に短剣がそれぞれ突き刺さり、バタリと床に倒れた。

「憲兵がなんだって？」

クスクスとアスラが笑う。

ユルキ、イーナ、マルクスがそれぞれ短剣を投げて憲兵を最初に倒したのだ。

憲兵は基本的に、仲間を呼ぶための笛を持っている。だから先に倒した。

アスラがいちいち指示を出さなくても、三人ともそれを理解している。

「すごい……」とレコが呟《つぶや》いた。

「この距離で外すような愚図は《月花》には不要だよ。だから、レコもできるようになる。まぁ、できるまで練習させるからだけど」

「……ほ、本物の憲兵だったんですよ？」

ウーノの表情が引きつった。

「今までの恫喝《どうかつ》相手には通用したかもしれないけど、私たちには通じない。私たちはあらゆる問題を武力で解決する。憲兵が私たちを捕まえようとするなら、憲兵団を潰そう。王国軍が私たちを狙うなら、王国軍を殲滅《せんめつ》しよう。王が私たちを殺せと命令するなら王の首を落としてあげよう。私たちはそれができる集団なんだよ。君らみたいなチンピラとは違うんだよ。私たちは正真正銘の戦闘集団なんだからね」

アスラが言うと、場が静まり返った。

「お、おれは降りる！」

チンピラの一人が武器を捨てて、酒場の入り口へと走った。

しかし。

足に短剣が刺さって、チンピラは倒れ込んだ。

「どこへ行くというの？」ルミアが言った。「団長の言葉が聞こえなかったのかしら？　一ドーラを拾わないいなら皆殺しと言ったのよ、うちの団長は」

ルミアは椅子に座ったままで、立ち上がる気配はない。

ルミアにとっては立つ必要すらなく勝てる相手、ということだ。

「拾いなさいな、ウーノさん」ルミアが笑顔を浮かべる。「命は惜しいでしょう？　わたしはね、怒っているの。あなたのその極悪非道な行いに腹を立てているの。でも、殺さずに済むならその方がいいわ」

「ご、極悪非道なのはそっち……」

「なぁに？」

ウーノの言葉を遮って、ルミアが笑顔で小首を傾げた。

「ひ、拾う！　拾います！」

ウーノが床の一ドーラ硬貨に手を伸ばす。

しかし、その一ドーラをサルメが先に拾った。

ウーノはその行動を理解できずに困惑した。

「……拾わせない。死んで」

サルメの瞳には決意が見えた。

絶対にウーノをここで死なせるという決意。

それだけの目に遭ったということだ。

「よくやったサルメ！」アスラは歓喜する。「素晴らしい！　その一ドーラを私に返せば、君は今日から自由だ！」

「ふ、ふふ、ふざけるなクソガキ！　それをわたくしに寄越せ！」

ウーノが手を伸ばすが、サルメはそれを躱《かわ》してアスラのところまで走った。

「さて諸君。宴はいよいよ終焉《しゅうえん》を迎える。かくしてヒロインは私たちの物となった。あとは悪役に退場願おう」

アスラが仰々しく言った。

「お芝居が好きだとは知らなかったわ」

「……相手は悪人だけど、あたしたち……もっと悪い人間……」

「だな。半端な悪党が大悪党に喧嘩《けんか》売ったんだから、そりゃ結末はあの世逝きだろうぜ」

「……まぁ、自分と副長以外は確かに大悪党ではあるな」

「いいから早くやりたまえ」

◇

最後は一人一殺だった。

チンピラ三人はルミア、イーナ、ユルキがそれぞれ短剣を投げて仕留めた。

ウーノはマルクスが【水牢《ろう》】であの世へと送った。

もがき苦しむウーノの姿をサルメに見せてあげようという心遣いだ。

「さてサルメ。その一ドーラを返せば、君は自由だよ」

アスラが右の掌を上に向ける。そこに硬貨を置け、というジェスチャ。

「……嫌です」

「なんだって？」

サルメの返答に、アスラは小さく首を傾げた。

「私を傭兵にしてください！」

サルメが深く頭を下げる。

「おいおい……」アスラは苦笑いした。「私はそのつもりだったけど、君は今、自由を得られるんだ。なのに、その自由を自分で捨ててしまうと？　君はレコと違って壊れてない。だからまだ元の世界に、普通の人々の世界に戻れるんだよ？」

サルメが顔を上げる。

その表情に曇りはない。

あぁ、本気なんだね、とアスラは思った。

「私は強くなりたいんです。もう二度と、誰にも……こんな……私……」

言いながら、サルメは泣きそうになっていた。

「いい。言わなくていい。どんな目に遭ったかは分かる。だから言わなくていい」

アスラは小さく息を吐いてから続ける。

「けれど。けれど、だよ。私たちは人殺しの集団で、誰も幸せになんてなれやしないんだ。私たちの結末は、ズタズタに斬り裂かれて死ぬか、のたうち回りながら苦しんで死ぬか、あるいは活き活きと死ぬか。どれにしたってデッドエンドしか用意されちゃいないのさ。理解しているかな？」

「それでも！」サルメは悲鳴みたいに言った。「それでも私は、強くなりたいんです！」

「いいだろう。ならば私が最高の魔法兵に育ててあげようじゃないか。今日から君は傭兵団《月花》のサルメだ。地獄へようこそサルメ」

「ほら、これ着とけ」

ユルキが自分のローブを脱いで、全裸のサルメに羽織らせた。

「あ、ありがとうございます……」

「気にすんな。もう仲間だからな」

ユルキが微笑む。

それからゆっくりと厨房《ちゅうぼう》の方へと歩いて行った。

「んで、そこのデブに情報流したのはオヤジか？　それとも給仕の兄ちゃんか？」

店主と給仕はお互いに首を横に振った。

そして二人とも相手を指さして「こいつが」と言った。

ユルキは小さく溜息《ためいき》を吐いた。

「団長どうすんっすか？　盗賊団ならこういう時は両方始末するんっすけど、うちら傭兵団だし、指示願いまーっす」

「しかし彼らが情報を流したとよく分かったねユルキ。感心したよ私は」

アスラはバカにしたように右手を大きく広げた。

「いや、普通に分かるっしょ⁉　どんだけ俺のことバカだと思ってんっすか⁉」

「……あたしも分かった。偉い……？」

「いや、あのタイミングなら誰でも分かる」マルクスが言う。「裏口にチンピラか憲兵が待機していたのだろう」

「でしょうね」とルミアが小さく肩を竦《すく》めた。

レコ以外はみんなアスラと同じ推測をしていた。

そのことを、アスラは少し嬉《うれ》しく思う。どういうルートで情報が流れたのか、説明する手間が省けるから。

「正直に話せば命だけは助けよう」

アスラは厨房の方を見て言った。

「ほ、本当に……？」と給仕が反応。

「そうか君か」

アスラが小さく笑った。

給仕はハッとした風な表情を浮かべてから「命だけは！」と土下座し、額を床に擦《こす》りつけた。

「いいだろう。今日のことは他言無用だよ？」

アスラが言うと、給仕が顔を上げて「もちろんです」と言った。

アスラが店主に視線を送ると、店主も強く頷《うなず》いた。

「ユルキ、死体を片付けておくれ。給仕と店主に手伝ってもらいたまえ。一応、死体遺棄の共犯にしてておく」

「ういっす。ところで団長。このデブ商人、宝石大量に持ってるんで、ちょいと頂いても？」

「好きにしたまえ」

アスラが肩を竦めると、ユルキが小さくガッツポーズ。

「……あたしも、宝石いる……」

「レコも手伝えよ。小遣い稼ぎさせてやっからよ」

ユルキが言うと、レコはアスラの方を見た。

アスラは黙って右手をヒラヒラと動かした。勝手にしろ、という意味。

レコはそのジェスチャを正しく理解し、イーナと一緒にユルキの方へと移動した。

「さて。じゃあ私たちは先に宿に戻ろう。ルミア、宿に着いたらサルメに回復魔法を」

「あら？　左腕はいいの？」

「別に明日でもいいよ、私は」

ルミアの回復魔法は時間がかかるので、一晩に二人も治すのは不可能だ。

「ふふ。なんだかんだ、優しいのね」

ルミアが上機嫌で言った。

「うるさい。ほら、サルメ、マルクス、行くよ」

アスラは椅子から立ち上がり、入り口の方へと身体を向ける。

「自分も片付けに参加します。ユルキたちだけでは何かと不安ですので」

「ふむ。それもそうか。きっちり痕跡を消しておいてくれ。頼むよ」

「了解です」

◇

温かい、とサルメは思った。

ルミアの回復魔法は、身体がポカポカしてとっても気持ち良い。

ここは宿屋の一室。アスラに割り当てられた部屋。《月花》は一人につき一部屋用意していた。

だが当然、サルメの部屋はない。だから今日はこのままアスラの部屋で一緒に眠る予定になっている。

「さて」アスラがローブを脱ぐ。「少し話でもするかね?」

アスラは脱いだローブをきちんと畳んで、横長のキャビネットの上に置いた。

ローブの下は白のブラウスに茶色のズボン。ブラウスには《月花》の紋章が刺繍《ししゅう》されている。

そしてベルトはかなり異様だった。短剣を収納するための革の鞘《さや》のようなものが幾つもくっついている。

「あ、はい」

そして肝心の短剣は歯抜けのようになっていた。何本か使用済みということだ。

サルメはまだユルキのローブを羽織っている。

「これから君とレコには色々なことを教える」

アスラが椅子に腰掛ける。

サルメとルミアはベッドの上に座っていた。

それほどいいベッドではないが、今までサルメが使っていたベッドよりはマシ。

部屋も特に豪華なわけでもなく、極めて普通。それでも、あまり金に余裕のない娼婦《しょうふ》たちが共同生活している一軒家よりはマシか。

古くてカビ臭い家だった。

もうあそこに帰らなくていい。それだけでも、サルメは少し明るい気持ちになれた。

「まぁ、二人とも私の命令にどの程度服従できるか確認しようか。それから、フィジカルトレーニングでもう少し強い身体を作る。ある程度できたら、魔法と戦闘技術。ついでに今回からは座学を加えよう。そして私がいいと思ったら、魔法兵基礎訓練過程へと進んでもらう。ここまではいいかな？」

アスラが言って、サルメが頷いた。

「魔法の習得には時間がかかるから、実戦への投入は早くても一年後ぐらいになるかな？　それも補佐的な役割で、ってとこか」

「私、魔法のことよく分からないです」

「そうか。簡単な説明だけしておこう。魔法というのは体内の魔力……私はＭＰと呼んでいる」

「えむぴー？」

「魔力の略称さ。そのMPを具現化して属性変化させて、性質変化させて、やっと魔法になる。だからまずはMPの具現化から」

「自分にMPがあることを認識して、体内から自由に取り出せるようにするのよ」

ルミアが淡々と補足した。

「そうして取り出したMPに属性変化を加える。これは一人につき一属性で、実際にやってみないと何属性になるかは分からない」

「生涯、固有属性を得る以外で属性が変わることはないの」ルミアが言う。「そして固有属性を得れば、大魔法使いを名乗れるようになるわ」

「名乗らなくていい。私たちは魔法兵だ。魔法を武器の一つとして戦う兵士で、単純な魔法使いとは違う。ここまでは理解したかな?」

「はい」

なんとなく、言葉での理解はできた。

けれど、今この瞬間にやれと言われたら絶対にできないとサルメは思った。

「で、最後に性質を変化させる。魔法の性質は四種類しかない。攻撃、支援、回復、生成。この四つの性質から一つを選んで変化させる。慣れれば二つの魔法を同時に展開することも可能だね」

「初心者には無理だから、今のは聞かなかったことでいいわよ」

「まぁ、慣れるのに何年もかかるのは事実だね。まず魔法の習得に数年。固有属性を得るのにまた数年。二つ同時展開できるようになるのはまた数年後、って感じかな」

「魔法使いが少ない理由の一つね。ちなみに、固有属性を得るのと二つ同時展開が可能になるのは、特にどっちが先というルールはないわね。使う人次第な部分が……」

ルミアは途中で言葉を切って、ドアの方に視線を移動させた。

アスラもゆっくりと椅子から立ち上がって、ベルトの短剣を抜いた。

二人がなぜそうしたのか、サルメには分からない。

だから少し混乱した。

そして、誰かがドアをノックした。

「アスラ・リョナ。内密に話したい」

なるほど、とサルメは納得する。

二人は人間の気配を感じたのだ。

そしてそのことを素直にすごいと思った。いつか自分にもできるのだろうか、とサルメは考えた。

「おいおい……冗談だろう？」

アスラが短剣を仕舞って苦笑い。

それからゆっくりとドアを開けた。

そこに立っていたのは、二〇代の青年。よくある普通の服を着ているが、なぜか気品があった。

「一人で来たのかい？」

「うむ。内密の話だ。護衛も付けていない。余は時々、こうして街に出るから、慣れたものだ」

「あぁ、まぁ、入りなよ、アーニア王。夜這《よば》いでなければ」

二章　一話

多くを失うリスクがあるって？　そうかな？
せいぜい、私たちの命ぐらいのものさ

アーニア王がさっきまでアスラの座っていた椅子に腰を下ろした。

アスラはもう一つ椅子を持って来てアーニア王の前に置き、そこに座る。

「アスラ・リョナ、近くないか？」

「アスラでいい。それに私は美少女だから、近くても平気だろう？」

本当は椅子をセットする位置をミスった。

直すのが面倒なので、このままいくことにしたのだ。

「う、うむ……」

「おや？　君の瞳、夕焼けみたいで綺麗《きれい》だね」

「あ、ああ……そう、であるか……」

「それで？　話とは？」

アスラは背もたれに身体を預けて、楽な感じで言った。

アーニア王が小さく咳《せき》払い。

「まずこの戦争について、《月花《つきばな》》団長と副長の率直な意見を聞きたい」

「まだまだ楽しめそうだ、と思っているよ。副長はどうかな？」

アスラは椅子を少し傾けて振り返り、ベッドの上のルミアを見た。

ルミアは小さく溜息《ためいき》を吐く。

「率直な意見ですね？　アーニア王」

「うむ。頼む」

「アーニアはまず勝てないでしょうね」

「で、あろうな」

アーニア王は特に肩を落とす様子もなく、淡々と頷《うなず》いた。

「副長、理由を簡潔に述べてくれるかな？」

「単純にテルバエの方が、軍事力が上なのよ。練度も規模も上で、おまけに魔物まで使役しているわ」

ルミアも淡々としている。「それに加えて、主要産業である茶畑を焼かれてしまったわ。今の主戦場は南東の草原で合ってるかしら？」

「うむ」

「長くは保《も》たないんじゃないかしら。たぶん、一〇日ぐらい？」

「……将軍らもそう言っていた。なぜ分かった？」

「戦力を分析、比較してからこの戦争に参加したのよ、わたしたち」

「うちの副長は頭の中で戦争をシミュレートしているのさ」アスラがニヤッと笑う。「このあと、アーニアがどうなるかも教えて差し上げろ副長。ああ、もちろん、私たちが何もしなかった場合だよ？」

「主戦場で敗戦し、貿易都市が落とされる。主要産業を焼かれ、経済の中心である貿易都市まで陥落したら、経済的には死んだのと同じこと。放っておいてもアーニアは緩やかに滅ぶでしょうね。もちろん、その前にあなたが降伏するけれど、相手が受け入れるかは分からないわね」

「副長殿は……戦争の経験が豊富なのか？」

アーニア王は驚いたように目を丸くしていた。

「そうね。でも大昔の話よ」

「ふむ……。ところで、アスラが何かしたら、どうなる？」

「南東の主戦場では勝てる」アスラが断言する。「が、このままズルズル戦争が続くと最終的には勝てない。よくて引き分けだろうね。その理由は――」

「――英雄将軍マティアス・アルランデル」

ルミアが真剣な口調で言った。

「運の悪いことに、敵側に軍属の英雄がいる」アスラが言う。「反面、アーニアには英雄どころか英雄候補すらいない。これは痛い。色々な意味で痛い。軍属でなくても、最悪、国内に英雄がいれば徴兵すればいいけど、それもできない」

「徴兵はどうかしらね」ルミアが言う。「国にはなんの興味もない、住んでるだけって英雄もいるわ。英雄の義務以外は好きにする、ってタイプの方が多い印象だわ」

「だから運が悪いと言ったんだよ」とアスラ。

「そうね。マティアスは英雄になる前から軍人で、愛国心も忠義心もある、って話だものね」ルミアがアーニア王に視線を移す。「英雄の戦闘能力が人間離れしていることは、アーニア王もご存じでしょう？」

「うむ。彼らはその剣で大地を割り、拳で大岩を砕き、馬より速く駆け抜け、超自然災害《魔王》と戦うことのできる存在」

「《魔王》ね……」アスラが苦笑いした。「定期的に発生し、人類の生活を脅かす存在、か」

無限に思えるほどのＭＰを持ち、衝動のままにあらゆる物を破壊して回る。怒りと憎しみに染まった破壊神。多くの場合、理性を持たない。

「普通の人間は」ルミアが言う。「《魔王》に挑もうなんて思わないわ。見たら分かるの。あれは人にどうこうできるものじゃない、ってことが。でも英雄たちは戦う。それが義務だから。毎回、討伐に向かった英雄たちの半分が死んでしまう」

「マティアス・アルランデルはその《魔王》討伐を二度、生き残った」

アスラが肩を竦《すく》める。

そのマティアスが、テルバエ大王国軍の総大将を務めている。

「さてアーニア王」アスラが言う。「ひとまず勝利条件を確認しよう」

アスラはやる気満々だった。まだ何も依頼されていないが、されるのは分かっている。そうでなければアーニア王がお忍びでこんなところまで来ない。

「総大将の撃破、もしくは総大将が撤退を選択する。それか、戦場の銅鑼《どら》が鳴り響くか。まずはこの三つのどれかが必要だね」

「厳密には」ルミアが言う。「銅鑼を鳴らすのは大将同士で話したい、という意味よ。一時的な停戦の合図」

「でもその話し合いは多くの場合、条件付きの降伏を提案するためだろう？　兵士や将軍を処刑しないとか、そういう条件」

「うむ。しかしながら、マティアスがいる以上、連中が銅鑼を鳴らすことはなかろう。鳴らすとしたらうちの方であろうな」

アーニア王が肩を竦める。

「まぁ続けよう。今言った三つはどれも正確には勝利への最初の一歩でしかない」アスラが言う。「最終的な判断はテルバエの大王が行う。最悪、総大将をすげ替えて再び侵攻することも考えられる」

「どうであれ」とルミア。「総大将が英雄である以上、撃破もないわね。アーニアが勝つには撤退させるしかないわ」

「そう。英雄には特権と義務がある。まぁ、彼らが勝手に言ってるだけのもの、だけどね」

「言い方……」ルミアが苦笑い。「義務に関しては英雄になった時点で、全員が同意の上だわ。特権に関しては、それを人々に守らせるだけの武力と尊敬が英雄たちにはあるわ」

「だから厄介なんだよね。今回適用される特権は、英雄を殺してはいけない、だったかな。これを破ると、全ての英雄が報復にやってくる。さすがに面倒だよね」

「……それは英雄向けの特権よ……」ルミアが苦笑いする。「英雄同士で喧嘩《けんか》して、殺し合いに発展しないようにという意味合いで作られたもので、一般人が英雄を殺すことなんてそもそも想定されてないわ。もちろん、適用はされるけれど」

「英雄が一般人を殺すのは？」とアスラ。

「私怨《しえん》による殺人の禁止と、私利私欲による殺人の禁止。英雄と言ってもだいたいは戦闘好きだし、善人かどうかも人によるし、みんなが各国の法を無視できるだけの能力があるから、抑止力としての決まりね。英雄が無法集団なら誰も支持してくれないもの」

「ふむ。英雄将軍は軍属だから、敵兵——この場合アーニア兵を殺しまくっても私怨ではないし、当然私利私欲でもない。反面、アーニア兵は彼を殺したら全てのアーニアという国が英雄と敵対するわね。とは言え、過去に英雄を殺した一般人なんていないわ。だから撃破も無理、って言いたかったのよね、わたし」

「そもそも英雄を殺そうなど、普通は考えん」アーニア王が言う。「彼らは大英雄の招集に応じ、最上位の魔物や超自然災害《魔王》を討伐し、人類の未来を命がけで守っている。我らはそんな英雄たちに敬意を覚えるが、殺意を覚えることはない」

英雄たちの言う特権を人々が受け入れているのは、彼らが命をかけて未来を守っているから。

「だが、って続くのかな？　それとも、しかし、かな？」

アスラは楽しそうに笑った。

「どちらでもよい。アスラ、余は、それでも余は、アーニアを守りたいのだ」

「ああ。だから？　どうして欲しいんだい？　ほら、言っちゃいなよ？」

「マティアスを……英雄マティアスを……殺してくれぬか？」

それは一生に一度あるかどうかの依頼。

英雄を殺す――それを本気で考えることは、この世界では有り得ない。

だって英雄をみんな敵に回してしまうのだから。

そんなことを考える奴は異端だ。

どうかしていると表現しても過言ではない。

「ははっ!! 聞いたか副長！」

アスラは歓喜したが、ルミアの表情は引きつっていた。

「アーニア王、取り下げてください。今ならなかったことにできます」

「取り下げなくてもいいよ若き王。楽しくなってきたなぁ」

「待ちなさいアスラ……いえ、団長。請けていい依頼とそうでない依頼があるわ。これは明らかに後者。一億ドーラ積まれてもリスクに見合わないわ。そもそも、英雄を殺すですって？ そんなこと、できるわけないでしょう？」

「いや、できるだろう？」

アスラが身体を反らして、顔を後ろに向ける。

少し怒ったルミアの表情が逆さまに見えている。

「どうやって？」

「そりゃ、正面に立ってさぁいざ尋常に勝負、って言えば私は勝てない。当たり前の話さ。でも副長、君たちは英雄を神聖視しすぎている。英雄と言っても戦闘能力が高いだけの人間だろう？ 毒を飲めば死ぬし、首を絞めても死ぬだろう？」

「仮に」ルミアが言う。「殺せたとして、そのあとどうするの？　全ての英雄が敵に回るわ。わたしたちは報復の対象になってしまう」

「じゃあ英雄連中と戦争、と言いたいが、まだ私たちにそこまでの力はない。だからまぁ、シラを切ろう。証拠は残さない」

「証拠も何も……今マティアスが死んだら誰がどう見たってアーニアの仕業でしょう？　そしてすぐ、傭兵《ようへい》のわたしたちが疑われるわ」

「だろうね。でも前例がないんだろう？　なら、証拠は必要さ。英雄どもは勝手な決めつけで報復する暴力集団じゃないのだから」

　アスラがそう言うと、ルミアは右手を額に当てて首を振った。

「それで若き王。報酬は？　副長的には、一億ドーラでも足りないそうだよ？　私も仕事の安売りはしたくない」

「……殺せる……のか？　英雄を……本当に？」

　アーニア王は目を見開いて、心底驚いたような表情をしている。

「いやいや、君が頼んだんじゃないか。私たちならできるかも、って思ったんだろう？　ならその直感を最後まで信じなよ」

「う、うむ……。実は、断られることも想定していた……。その時は、我が軍とともに主戦場である南東の草原で戦ってもらおうと……思っていたのだ」

　アーニア王にとっては、そちらが本題だったのかもしれない、とアスラは思った。

「よし、そっちの依頼を請けよう」

「……ん？」とアーニア王。

「……団長が正気で良かったわ……」とルミア。

「日当はそうだなぁ、二万ドーラでどうかな？」

「もちろん、余は構わんが……英雄の方は……？」

「おっと、言葉が足りなかったね。そっちの依頼をカモフラージュに請けよう、ってことさ」

「……どういう意味なの、団長」

ルミアの声に棘《とげ》が含まれる。

「私たちはあくまで、日当二万ドーラで雇われた傭兵団。英雄を殺すなんてそんな大きな依頼は請けていないってことさ。大金が動いたら明らかに私たちが犯人じゃないか」

「だったら報酬はどうするの？　まさか無償で英雄を敵に回すとでも？　それこそ正気じゃないわ」

「そんな怒ったように言わなくてもいいじゃないか副長」

「怒っているの！」

「ちゃんと考えがある」

アスラは首を振ってから、片手でアーニア王の頭を掴《つか》んだ。

そして自分の方にアーニア王の顔を引き寄せる。

「ちょ、ちょっと団長⁉」

「しぃ」

アスラはアーニア王の目を間近で見ていた。

アーニア王は目を逸らさない。

「命を懸けられるかね？　若き王」

「アーニアが勝てるのであれば」

「英雄を殺してくれ、なんて前代未聞の依頼だよ。あんたはイカレてる。だからその年齢で王様になれたのかな？　あんたは二〇歳か？　二一歳か？」

「二二だアスラ。それを引き受けたアスラもイカレていると、余は思うが？」

「だから傭兵をやっているのさ」

「余も、だから王をやっている」

数秒の沈黙。

「若き王。報酬は君の人生全てだ」

「余の人生？　妻にしろという意味か？」

「なぜこの状況でプロポーズしなきゃいけないんだよ。そうじゃない。若き王、君は今後、死ぬまで私の言いなりだ。私の望みを全て叶《かな》えろ。私がやれと言ったことは全てやれ。私に尽くし、私のために死ね。命を懸けろ。人生を懸けろ。君はそれだけのことをお願いした」

アーニア王は唾を飲み込んだ。

そして短い時間、考えて。

「分かった」

「言っておくが私は色々お願いするよ？　そして報酬を払わない奴は殺す。忘れないで、若き王」

◇

翌日の早朝。

「せっかくのオフに集まってもらって悪いね」

アスラが笑顔で言った。

「……人口密度……ヤバイ……。床しか座るとこ、ない」

イーナが無表情で言った。

ここは宿のアスラの部屋。

そこに《月花》の全員が集合していた。当然、レコとサルメも含む。

「君たち新しい依頼だよ。嬉《うれ》しいだろう？」

アスラはルミアの膝の上に座っている。

ルミアは普通に椅子に座っているのだが、膝の上にアスラが乗っている。

「ではオフはなしでありますか？」

マルクスは壁にもたれて立っていた。

「いや、動くのは明日から。私の腕が完全に治ってから」

アスラは背中にルミアの胸を感じながら、ニヤニヤと言った。

ちなみに、腕はルミアがある程度治療してくれた。サルメを治したあと、まだMPに余裕があるからと。

まだ違和感と痛みがあるけれど、もう首から吊ってはいない。

「んで？　どんな依頼っすか？」

ユルキはもう一つの椅子に座っている。

「代わって……」

イーナがユルキを蹴っ飛ばして、ユルキが床に落ちた。

その隙にイーナが椅子に座る。

「てんめぇこのアマ、俺が先に座ってたんだろうがよぉ」

ユルキが怒るが、イーナはどこ吹く風。

「団長、オレも手伝える？」

レコはサルメと一緒にベッドの上に座っていた。

「もちろんだレコ。今回は小隊を二つに分ける。だから君もサルメも雑用係ではあるが、参加してもらう」

「またブルーセクションとレッドセクション、ということですか？」

マルクスはいつも通り、非常に冷静だった。

「違う。今回はアルファとベータ。そのままプランAとプランBになる」

「作戦……二つ？」

イーナが小首を傾げる。

「そう。アルファチームの指揮はルミアが執る。メンバーはユルキ、マルクス、サルメだ。任務は南東の主戦場でアーニア軍とともにテルバエ軍を叩《たた》け。全力で叩け。撤退させるつもりで」

「戦争に勝ちに行け、ってことっすか？」

「簡単に言うとそうだ。が、相手の撤退では勝てない可能性がある。英雄将軍が生きている限り、再侵攻の選択肢が残るからね」

「しかし、それはどうにもならないのでは？」

「そこで私率いるベータチームの出番だよマルクス。メンバーはイーナとレコ。私たちは英雄の暗殺を画策する」

「あー、英雄殺したら、さすがに再侵攻は……って！　何言ってんっすか団長！　正気を失ったんっすか⁉　あ、いや、団長は元々イカレたクソアマっすけど！　英雄殺しちまったら、色々ヤバイっしょ⁉」

「自分もユルキと同意見です団長。とても正気とは思えません。そもそも英雄を殺せるとは思えませんし、万が一殺せても、その後の報復で我々は全滅では？」

「……英雄は……さすがに……無理っぽい……」

「ほらね」とルミアが小さく呟《つぶや》いた。

「あ、あの……意見を言っても……？」

サルメが申し訳なさそうに右手を挙げた。

「許可しよう。言ってみたまえ」

「みなさん……英雄は、その、私たちの未来を守ってくれる人たちで、《魔王》や強い魔物から人類の生活を守ってくれていて、だからその、普通は殺そうなんて思いませんよね?」

サルメの言葉に、みんなキョトンとした。

「だからなんだねサルメ」

「いえ、あの、みなさん……別に英雄なんか殺してもいいけど、って思ってます?」

「いいんじゃねーの? できるなら。俺は無理だと思ってっけど。ぶっちゃけ、うちの副長倒すようなもんっしょ? みんなで囲んでも無理っすわ」

「命令なら仕方ない。もちろん、自分も英雄を殺せるとは思っていない。知る限り、そんな前例もない。うちの副長を倒すようなもの、というのはいい例だ。副長に勝てない自分たちが英雄に勝てるとはとても思えない」

「……英雄は人間。人間なら殺していい……。でも、あたしも勝てると思えない……。副長は天敵……。あたしにできるのは、水に砂糖を入れるぐらい……」

「わたしの水が甘くて変だなぁと思うことが多々あったのだけど、イーナだったのね。素行の悪さが目立つようだから、あとで躾《しつけ》してあげるわね」

ルミアが微笑みを浮かべると、イーナは立ち上がってダッシュでマルクスに抱き付いた。

「……マルクスの命令だった……」

「自分を巻き込むな。自分もまだブーツに砂を入れた件を忘れてないぞイーナ。副長、自分がイーナを押さえつけましょうか？」

マルクスが言うと、イーナは次にユルキのところに行った。

「お兄ちゃん……」

「うるせぇ。俺を椅子から蹴落としたこと忘れてねぇぞ。自業自得だ。ちょっと痛い目みとけ」

「……なるほど」サルメが小さく頷いた。「団長さんだけなのかなって思ってたんですけど、違うんですね。私も早くみなさんみたいに、なりたいです」

「どういう意味？」とレコ。

「ああ、いえ、みなさん等しくイカレてるじゃないですか。殺せるか殺せないか、あとは殺せた場合の話しか、してませんよね？　道徳的な意味で、英雄を殺すことをなんとも思ってないんですから。副長さんですら」

二章　二話

傭兵に必要な素質？　いつでもジョークが言えること以外に？

英雄将軍マティアス・アルランデルは、テルバエ大王国軍の本陣、総大将用のテントの中で椅子に腰掛けていた。

「やはりアーニアの茶は美味いな、テレサ。昼下がりのティータイムにはアーニアの茶が最適だ」

マティアスは銀の短髪に、銀の口ひげ。

体格は普通だが、顔がいいので女性人気が高い。それなのに幼馴染《おさななじ》みの妻一筋なところも、マティアスの人気を加速させた要因。

その上、マティアスは英雄の称号を持っている。

三七歳にしてアーニア王国制圧軍の総大将となった貫禄《かんろく》もある。

そんなマティアスだが、右手には形のデコボコした安っぽい大きなコップを持っていた。

「昨日、焼き払いましたがね、別働隊があなたの命令で」

マティアスの副長であるテレサが淡々と言った。

テレサは二四歳の女で、艶やかな長い黒髪が特徴的。

「仕方あるまい。ワシとて、心が痛む。チンケな大王のチンケなプライドで始まったつまらん戦争で、世界に誇るアーニアの茶を焼かねばならなかったのだから」

「言いすぎでは？」

「ふん。構わん、どうせワシがおらねば戦争もできん臆病者よ。そのくせ、プライドだけは一人前だ。同世代のアーニア王への嫉妬が、戦争のキッカケとはつまらんだろう？」

「どうであれ、軍属であるあなたも、私も、逆らうことはできません。そろそろ愚痴を言うのは止めにしませんか？」

「前王は良かった。忠義を尽くすに値する人物だった」

マティアスは古き良き王を思い浮かべ、溜息《ためいき》を吐いた。

前王は病気で逝ってしまった。唐突に。それがそもそもの始まりか。

「現王があのままでは、この国はいずれ滅ぶであろうな」

「言葉がすぎるかと」

「ふん」

マティアスは茶に口を付ける。

ああ、美味い。

なぜこんなにも美味い茶を作るアーニア王国を滅ぼさねばならんのか。

「息子が小さい頃にプレゼントしてくれたコップで、世界最高の茶を飲む。素晴らしいと思わんか？」

「何度も聞きました。自作のコップなのでしょう？」

テレサはやれやれ、と小さく首を振った。

「最新の情報です閣下！」

伝令兵が一人、テントの中に入ってきた。

「アーニアが降伏でもしてくれたか？」

「いえ、スパイからの情報ですが、どうやら明日からこの主戦場に傭兵団《月花《つきばな》》が参戦するとのこと。それをうけて、アーニア側の士気が向上しているようです」

「……例の傭兵どもか」

彼らはアーニア中央砦《とりで》を攻略するために送り込んだ援軍を、数人で壊滅させた。

彼らはご丁寧に一人だけ生かし、自分たちの名を伝えさせた。

彼らのせいで、中央砦の攻略は破棄せざるを得なかった。

更に、彼らはムルクスの村を滅ぼしに行った魔物小隊を三つ、撃破した。

この話は敵味方含めて、速攻で伝播《でんぱ》した。中位の魔物を三匹、彼らは小隊規模で軽く殺してしまったのだから、当然のことではある。

そして。

「プンティの行方は未だ知れずか？」

「はっ！　魔物調停役のプンティ様は未だ不明であります！」

英雄候補であるプンティまで、彼らと戦って行方不明となっている。

「アレは相当強いはずだが……、真っ直ぐな奴だ。汚い手を使われたら為す術もなかっただろう。傭兵がどういう連中であるか、教えておくべきだった……」

傭兵は基本的に、汚れ仕事を請け負うことが多い。

正規の兵にやらせたくないような仕事だったり、名誉を汚すような卑怯《ひきょう》な戦術だったりと、そういうマトモじゃないことをやる場合が多い。

「閣下」テレサが言う。「それは過小評価ですね。プンティ君は閣下の想像より強いです。並の傭兵が相手なら、少々ズルをされても撥《は》ね除けるかと」

「傭兵団《月花》は並の傭兵かね？　小隊規模で大隊を壊滅させ、魔物小隊を三つも駆逐するような連中が並かねテレサ」

マティアスは英雄の関与すら疑った。

《月花》はそれほど異質な戦績を残していったのだ。

「あ、いえ……すみません。出すぎた言葉でした……」

「まぁよい。明日はワシが自ら出る。みなに伝えよ、明日はこの英雄マティアスが先陣を切ると！」

◇

ユルキたちは馬に乗って移動している最中だった。

サルメは馬を操れないということで、ユルキの後ろに乗っている。

「主戦場なんか行ってもよぉ、俺ら活躍できんのかよ？」

ユルキは並走しているマルクスに話しかけた。

ちなみにルミアは二人の少し前を走っているが、声は届く程度の距離。

「本来の魔法兵のやり方とは異なる……と思うが、分からんな」

「活躍しなきゃ色々と大変なことになるわよ？」

ルミアが振り返って言った。

「つーと、やっぱ団長マジでやる気っすかね？」

「副長。昨日は団長と何をしていたのです？」とマルクス。

ユルキたちは昨日の早朝に、アスラから新しい依頼のことを聞いた。

それから解散してオフを楽しんだのだが、ルミアはアスラと何かをしていた。

「アスラはやる気よ。わたしを英雄に見立てていくつか確認してたようね。詳しくはわたしも分からないわ。ただ、矢を使うだろう、って推測しただけね」

「あーあ」ユルキが首を振る。「あっちのチームは成功しても失敗しても面倒になりそうっすねー」

「実際どうなんです副長？　団長とイーナとレコでやれますか？　自分は想像できませんね」

「わたしだって想像できないわよ。ただね、アスラはやるわ。絶対やるわ。成功するかどうかは置いておいて、実行することだけは保証できるわ」

「どんだけイカレてんっすかねー。成功したらシラを切れ、失敗してもシラを切れ。なんだそりゃって話で」

昨日の朝、英雄を殺す話をしたアスラはとっても楽しそうだった。

難しい任務が好きなのか、誰もやったことがないから逆に燃えるのか。

「それより自分は報酬に納得がいきませんね」

「あー、そりゃ俺もだマルクス」

アスラが言うには、英雄殺しの報酬は現金でも宝石でもない。

アーニア王にお願いする権利。それだけだ。

「アーニアは独裁国家じゃないものね」ルミアが言う。「もちろん、それでもアーニア王には色々な決定権があるけれど、独裁国家に比べたらできることは限られるわね」

「議会だとかなんだとか、そういうのあるんっすよね?」

ユルキは政治について詳しく知らない。

「それに、下手に動くと退位に追い込まれることもあるわね。アスラが言っていたのだけど、王と言うよりは……えっと、なんだったかしら……大……大統領、そう、大統領に近いらしいわ」

「なんですかそれは?」

「大きな統領。治める人。主に国をね。面白い言葉でしょ?」

ルミアが少し笑ったのがユルキには分かった。

顔は見えないけれど、声がそういう感じだったのだ。

「別に王でよくねーっすか? いや、確かに大統領の方がなんかイケてる気も……サルメどっちがいいよ?」

「え? いきなり私ですか? 大統領の方がカッコイイように思います」

「だよな。マルクスは?」

「自分はどっちでも構わん。問題にしているのは報酬の件だ」

「割に合わないわよね。わたしもそう思うの。だから、わたしたちが先に戦争を終わらせるの。わたし、実は戦争が得意なのよ」

「わぁお、副長がジョーク言ったぜマルクス」

「冗談じゃないのよユルキ。過去に軍属だったことがあるの。いい？　わたしたちが先にテルバエ軍を撤退させるのよ。アスラが英雄殺しになる前にね」

どうやらルミアは本気だったようだ。

ユルキは苦笑いした。

「副長、そちらもかなり難易度が高いかと」

そう。その通りだ。

アーニア軍は弱い。その上、ユルキたちは本来やらない戦いを強いられる。

「それに、英雄将軍が生きてりゃ、再編成からの再侵攻の可能性あるっしょ？」

「それは実際に撤退させてみないと分からないことよ。可能性は可能性でしょ？」

「そりゃ、そーっすけど」

うちの団は団長も副長も難しいことを簡単に言うから困る。

「策はあるんでしょうか副長」

「もちろんよマルクス。あの規模の軍が動くには物資……特に食糧がたくさん必要よ？　それ全部焼き払ったら？　どうなると思う？」

「うわぁ」ユルキは再び苦笑い。「えげつねぇっすわぁ。副長って最近、なんか団長っぽいっすわ」

腹が減った状態のテルバエ軍なら、アーニア軍でも十分に戦える。

「ふむ。実に魔法兵らしい戦い方でありますな。素晴らしい」

マルクスは感心したように何度か頷《うなず》いた。

「ま、平地で正面から戦うことに比べりゃ、確かにそっちのが俺らっぽいわな」

「ちなみに、ちゃんとしたファイア・アンド・ムーブメントよ」

アスラの掲げる魔法兵の基本的な戦術名。

「この場合、食糧庫を次々に襲う、という意味ですね」

「襲ったら動け。動いたらまた襲えってか。応用効きすぎだろマジで。すげぇな団長」

と、話をしていたらアーニア王国最大の貿易都市が見えてきた。

そこで少し休憩して、さらに南東に進めば主戦場だ。昼頃には到着するはず。

◇

ルミアたちが貿易都市に到着した頃。

頬を撫《な》でる草原の風が心地良くて、アスラは背伸びをした。

ここは城下町から北西に進んだ草原。

「……団長。ここで……何するの？　拠点まで……持って来て……」

イーナは幌《ほろ》のある荷馬車を操ってここまで来た。

その荷馬車が、《月花》の小さな拠点だ。

荷馬車の中には必要なものが揃《そろ》っている。武器も防具も、いつものローブの予備や色違いも。

「南東の草原とここは似ているらしいよ。だからここで練習するのさ」

アスラは昨日のうちに城下町の人間たちにこの場所を聞いた。

みんなアスラたちの活躍を知っているので、フレンドリーだった。

「団長、はいこれ」

レコが荷馬車の中から弓と矢筒を持って来て、アスラに弓を渡した。

それから再びレコは荷馬車に戻った。

「……いつもの、小さい弓じゃない……？」

アスラたちは機動力を考えて、大きな弓は基本的に使わない。

「これはコンポジットボウと言ってね、ある特殊な状況を想定して特別に作ってもらったのさ。納得のいく仕上がりになるまで、結構かかったかな。お金と時間がね」

「……何が違うの？」

「普通の弓は木で作るだろう？　これは他にも色々な素材を合成している。複合弓とか合成弓って呼んでもいい」

「……そうすると、どうなるの？」

「単に高価な弓だよ。破壊力と射程が伸びた弓、って認識でいい」

すでに左腕も完全回復したアスラが弓を構える。

何度か構え直して「よし」と呟《つぶや》いた。

「イーナ、これ」

レコが訓練用の的を持って来てイーナに渡した。

的は正方形の木製の板で、黒い大きな丸と赤い小さな丸が描かれている。

「……あたし、的役？」

「いや、的は杭《くい》を打って立てる」アスラが言う。「イーナは私の隣にいろ。【加速】が必要だからね」

「持たせただけ」とレコ。

イーナは的でレコの頭を叩《たた》いた。無言で。

「レコは傭兵に必要な素質、『いつでもジョーク』を習得しているようだ。素晴らしい。でも次に余計なことしたら、私のクソを食わせるぞ？」

「団長のクソなら、オレ……」

「やめろ、それ以上言うなレコ」

「ジョーク」とレコ。

イーナが再び的でレコの頭を叩いた。割と強く。

レコは頭を押さえて座り込んだ。

「バカレコは杭持って来て……」

「いったぁ……」

レコは自分の頭を撫でながら、荷馬車に向かう。

「弓矢で英雄を殺せる……？」イーナが首を傾げた。「……英雄候補の奴ですら、あたしの矢を近距離で弾いた……。なのに、どうして弓矢？　威力と射程が伸びただけ……だよね？」

「まぁ普通は無理だね」アスラが笑う。「ルミアなんか飛来する矢を摑《つか》んでしまうよ。昨日、見事に摑まれて笑ったよ」

「……じゃあ、なんで？」

「うん。いい質問だイーナ。どんな近距離でも英雄クラスの奴に矢なんか通じないさ。たとえコンポジットボウでもね。けれど、遠くなら？」

「……普通に避けれるんじゃ……？」

「半端な距離ならそうかもしれないけど、意識の外側から飛来する矢なら？」

「？」

イーナはキョトンとしている。

アスラの言葉が理解できないのだ。

「ルミアに聞いたところ、三〇〇メートルほど離れたらもう分からないらしいよ。まぁ、だから余裕を持って五〇〇メートル以上がいい。姿を見られたくもないしね」

「……その距離から……射る……？　当たる……？　届く……？」

「このコンポジットボウなら、【加速】なしでも届く。でも当然、【加速】も乗せる。さすがの英雄様も、そんな長距離から狙撃されたことはないだろう？」

二章　三話

光り輝くものほど素敵なものはない
そう、だから【閃光弾】は最高なのさ

プンティはアーニア城下町の酒場で、夕食を摂っていた。

あの日、イーナに玉を蹴られたあの日、プンティは誓った。

必ずイーナを殺すと。

そのために、軍に戻らずアーニアの城下町まで来たのだ。

しかし残念なことに、傭兵団《ようへいだん》《月花《つきばな》》はすでに城下町にはいない。南東の主戦場に向かったと人々の噂話《うわさばなし》で聞いた。

プンティはカウンター席に一人で座っている。

酒場の客はまばらで、それほど繁盛している様子はない。

「やぁ。隣いいかな？」

銀髪の少女が、プンティに声を掛けた。

「綺麗《きれい》なお嬢さん。どうして僕の隣？　席は空いているはずだけど？」

プンティは警戒したが、今は武器を持っていない。

テルバエ大王国の人間だと分かるような装備は何も持っていない。服だってムルクスの村で死体から剝ぎ取った物だ。

「傭兵団《月花》を探しているんだって？」

銀髪の少女は構わずプンティの隣に座って、ミルクを注文した。

本当に、目が覚めるほど美しい少女だ。

少女の服装は普通の村人のようで、特に怪しい装備はない。

「……ファンなんだよねー。ちょっと話を聞いて回ってただけだよ」

実際、そういう風に振る舞った。

彼らは歴史の表舞台に登場して僅か数日で、英雄のような扱いを受けている。もちろん、アーニア王国内に限った話だが。

「私は情報屋のナヨリ。少しのお金で多くの情報を売るのが仕事さ。まぁ、買うこともあるけどね」

少女が笑う。

年下は好みじゃないけれど、あまりにもその笑顔が綺麗で、プンティは少し照れてしまった。

「必要な情報は得たんだよねー。残念だけど、君の情報はいらないかなー」

プンティが肩を竦《すく》める。

「そうかい？　でも、買っておいた方がいい。テルバエの人間が敵地に一人じゃ、何かと心細いだろう？」

少女が笑う。

でも今度は寒気がするような壊れた笑顔。

「なんでっ……」

プンティは席を立って構えた。無手《むて》でもそれなりに戦える。

「私は情報屋だと言ったろ？　君が誰か知ってる。でもそれをバラす気はない。座れ」

「……何者だろうね、君は」

「情報屋。何度言わせる？　座れ、プンティ」

「なるほど……名前まで、ね……。スパイかな？　それも、アーニアでもテルバエでもない、どこか違う国の」

プンティは言われた通り、カウンター席に座り直した。

酒場の店主がミルクを少女に渡す。

「それでー？　僕に売りたい情報は幾ら？」

「一〇〇ドーラ」

「想像以上に安いね。何か裏があるかな？」

「じゃあ二〇〇。裏はない」

少女は言ったあとミルクを一口飲んだ。

プンティはポケットから一〇〇ドーラ札を出してカウンターに置き、そのまま少女の前に滑らせた。

「半分しかないけど、まぁいい。傭兵団《月花》は南東の主戦場にいるけど、そこに団長はいない」

「……だから？」

団長に用はない。

「でも副長のルミア・カナールがいる」

聞いたことのない名前。完全に無名。

なのに、マルクスは副長がとても強いと言っていた。

「彼女に一騎打ちを申し出るといい。彼女は《月花》の中で唯一の良心と言っても過言じゃない。約束を守ってくれる。君が勝てば、君の望みを叶《かな》えてくれるはずだよ」

「それ、一騎打ちじゃなくて決闘」

「どう違う?」

少女が肩を竦める。

「一騎打ちは戦闘中に色々な思惑でそうなる。一方、決闘の方はお互いの望みを事前に話し合って、同意の上で行われ、勝った方の望みが叶う。簡単にいうとそういう感じかなー」

「なるほど。なら決闘だね」

少女は納得したように小さく笑った。

「とはいえ……傭兵が決闘を受けるとは思えないなー。どうせ途中で周りの奴が乱入して、みんなで僕と戦うことになるんじゃないかなー」

「それもない。ルミアがそれをさせない。それに彼女、決闘は知らないけど一騎打ちは好きなはずだよ。昔取ったなんとやら、ってね」

「騎士か何かだった人?」

「少し違う。軍人だったんだよ、彼女」

「ほう……」

どちらにしても聞いたことがない。

名前的には中央フルセンの出身のように思うが、有名な人間なら噂《うわさ》ぐらいは聞くはず。

「ナヨリ、だっけ？　なんでそこまで知ってるのかなー？　ただの情報屋とは思えないんだけど、やっぱりどこかのスパイだよねー？」

「ただの情報屋」少女はミルクを美味しそうに飲んでから続ける。「《月花》は旬だからね。嗅ぎ回ったってだけ」

「じゃあ、黒髪の胸無し女について知ってる？　名前は……」

「イーナ・クーセラ？　そいつが目的かい？」

プンティはもう一〇〇ドーラをカウンターに置いた。

少女がそれに手を伸ばす。白くて綺麗な手。

これほど美しい少女が、なぜ情報屋なんかやっているのだろう？

いや。

情報屋は嘘《うそ》。

この子はたぶん、スパイ。

綺麗な女の子は諜報《ちょうほう》活動に向いている。

それに。

この子はただ綺麗なだけじゃない。

寒気がするような壊れた笑い方ができる。

「イーナ・クーセラは元盗賊で、団長に気に入られて入団。一五歳だったかな。得意なのは風属性の魔法と弓。まぁ、他の武器も一通り扱える。性格は残忍で冷酷で人間が泣き叫ぶ姿を見ると股間が濡《ぬ》れるんだってさ」

「元盗賊で、真性のヘンタイか……」

「天敵は副長のルミア。性格の不一致が原因だね」

「ルミアに決闘を挑めば、イーナを差し出してくれるかな?」

「所詮は傭兵団。烏合《うごう》の衆さ。特にイーナは素行が悪いから、君が《月花》最強のルミアに勝てれば、みんなは特に何も言わないいんじゃないかな?」

「直接イーナに決闘を挑んだら?」

「受けるわけないだろう? それこそみんなで君を囲んでボコボコさ。いいかい? ルミアだけなんだよ、そういうの受けてくれるのは。そしてルミアは取り決めを守る」

「なるほどねー。分かった。ありがとう。僕は宿に戻るよー」

プンティはキチンと勘定を済ませてから、店を出た。

出る前に一度振り返ると、少女が小さく手を振った。

◇

「マティアス将軍!! また夜襲です!!」

マティアスがテントで休んでいると、伝令兵が駆け込んできた。

「くそっ！　またか！　これで三日連続だぞ！　いい加減にしろクソがっ！」

マティアスは急いで起き上がり、剣を取って外に走り出る。

傭兵団《月花》は、参戦すると聞いた日には出てこなかった。

マティアスが自分で《月花》を潰すために前線に出たというのに、彼らは現れなかった。

けれど。

その日の夜、連中は現れた。

そして幾つものテントを焼き払って逃走した。そのテントの一つは食糧庫だった。

夜間の見張りを増やして対応したが、翌日の夜も多くのテントを焼かれ、多くの兵を失った。

「また食糧庫を焼かれました将軍！　このままでは、我が軍は飢えてしまいます！」

テントの外に出たマティアスに、大隊長が言った。

「なぜこっちの食糧庫の位置を知っている!?　そもそも奴らはどこから来るんだ！」

夜襲。

それはこういう大きな戦闘では基本的には行われない。

どちらの兵も疲れているからだ。日が落ちたら戦闘を止め、休むというのが暗黙のルール。

連中はそれを完全に無視している。

食糧の問題もあるが、このままでは兵たちが疲弊して戦えなくなってしまう。

「なんとしても撃破しろ！　なんとしても生かして帰すな！　ワシも行く！　奴らはどこだ!?」

「こ、ここを目指しているようです！」

◇

「こう毎日成功すると、俺らって実はすげぇんじゃねぇの？　って思っちまうな」

馬を走らせながら、ユルキは火矢を放つ。

ユルキの後ろには、予備の矢筒を装備したサルメも乗っている。

サルメは荷物持ちをしつつ職場見学中である。

「元軍属という副長の指示通りに動いているだけだがな、自分たちは」

マルクスも馬に乗っていて、ユルキと同じく火矢を放っている。

ちなみに、火矢の火はユルキの生成魔法で点けている。

「副長が軍属だったってことに俺はビックリだぜ。まぁ、おかげで敵の陣のどこに何があるか分かるわけだけど。あと、夜襲がすっげぇ有効だってこともな」

「わたしが軍属だったのはそんなに意外？」

ルミアは馬上で大きな矛を振り回して、寄って来た敵兵を叩《たた》き潰していた。

「いやー、どうっすかねぇ。立ち振る舞い的には、貴族っぽいんっすけどねー」

「軍属の貴族もいるだろう？」

ユルキもマルクスも、無駄口を叩きながらも火矢を放ち続けている。

矢筒いっぱいに油を仕込んだ火矢を持って来ている。

テルバエ軍のテントが燃える炎で、周囲はとっても明るい。

「わたしが元貴族かどうかは置いておいて」ルミアが言う。「わたしたちがすごいわけじゃないわ。テルバエ兵は昼間全力で戦ってヘトヘトなだけよ。ゆっくり休んでいたわたしたちと違ってね」

テルバエ兵は統率が執れていない。向かってくるが、考え無しにただ向かってきている。

そんな連中がルミアの矛を躱《かわ》せるはずもなく。

ただ死体の数が増えていった。

「見張りは増えていましたが、まぁ自分たちの敵ではないですね」

マルクスも今は火矢を放っているが、敵の見張り部隊を倒す時は剣を使っていた。

「さぁ、今日は徹底的に叩くわよ。明日撤退させるつもりでね。のんびりしているとアスラが余計なことしちゃうから」

「わぁお、副長が団長のプランを余計なこと扱いしたぜマルクス」

ユルキたちは北の森の中を通って、そこから一気にテルバエ陣を真横から襲撃した。

今はちょうど、テルバエ陣の真ん中辺り。

初日は背後まで回って襲撃し、昨日は南側から北側に駆け抜けるようにテルバエの陣を襲った。

「実際、余計なことだろう？　自分たちだけでやれる気がしている」

マルクスもユルキも、最初はテルバエ軍を撤退させるなんて不可能だと思っていた。

いいや、不可能でないにしても、かなり難しいと考えていた。

それが蓋を開けてみると、彼らは夜間の奇襲に為す術もなく崩れた。

「あ、あの」サルメが言う。「私もその、そんな気がします」

「おー、初日は震えてたくせに、言うねぇ」

「もう、慣れました」

そう言ったサルメの顔の横を、
ユルキの右腕を僅かに掠《かす》めて、
槍《やり》が飛んでいった。

その槍は真っ直ぐにルミアを目指していた。

ルミアは飛来したその槍を、矛で叩き落とす。

そして馬の速度を緩めた。

続いてマルクス、ユルキも馬を歩かせる。

「物騒な挨拶だなおい、俺はまだしも、サルメはビビッたんじゃねぇの？　漏らしたとかねぇか？」

「漏らしてません」

サルメは少し怒ったような声音で言った。

「副長、なぜ止まるのです？　囲まれますよ？」

「まぁ、挨拶ぐらいはね」ルミアが少し笑って、馬の向きを変えた。「こんばんは、英雄将軍マティアス様」

ルミアの視線の先に、男が立っていた。

男の周囲には兵士たちが数人。

男は燃えるような赤い鎧《よろい》に、白いマント。短い銀髪で、体格はユルキとそう変わらない。

「副長、まさかここ目指してたんっすか？　そりゃねぇっすわ」

「最初に言ってくれれば、自分は本気で反対しましたが？」

「だから言わなかったのよ」

ルミアは笑顔を崩さない。

「傭兵団《月花》か？」

男――英雄将軍マティアスが言った。

「そう。わたしたちは傭兵団《月花》。そしてわたしが副長のルミア・カナール。血が騒ぐ、というわけじゃないけれど、少し遊びましょう」

ルミアは馬を走らせ、マティアスに向かって行った。

マティアスが剣を抜く。

すれ違いざまに、ルミアが矛を振る。

マティアスが矛を剣で受け流し、更に反撃を加える。

ルミアは馬上で身体を反らすが、脇腹を少し斬られた。

マティアスが剣を振った風圧で、ルミアの髪とローブが揺れる。

「マジかよ。俺んとこまで風圧来たぞ。人間が剣振ったって感じじゃねぇぞ今の。俺だったら、今ので死んでるぜ？」

「やはり英雄は化け物だ……。そもそも、副長の矛をあっさり受け流して反撃？　それだけでも信じられん」

「その反撃を躱した副長さんも……化け物みたいですけど……」

「ほう」マティアスが感心したように言う。「お主は強いな。英雄になれる器だろう」

「さすがは現役の英雄様ね。一騎打ちでは勝てそうにないわね」

「お主が一八の少女なら、傭兵などすぐに辞めさせて、ワシの元で英雄候補にしてやるところだが……」

「バカ言わないで。わたしがもし、この一〇年をまともに生きていたら、とっくに大英雄よ」ルミアが言う。「でも、わたしはこの一〇年を後悔していないの」

一〇年でルミアの戦闘能力はほとんど向上しなかった。

アスラを育てることだけに注力していたから。

「お主が無名なのは、一〇年を棒に振ったから、か」マティアスが言う。「そして今日、人生そのものを棒に振る」

「それはないわね。わたしたちは傭兵団《月花》。わたしたちは魔法兵。そしてあなたたちの悪夢」

「ワシらの悪夢、か。ああ、実にその通り。貴様たちはワシらを寝かさないつもりか？」

「その通り」ルミアが息を吸い込む。「お前たちに安寧は訪れない！　わたしたちはお前たちを寝かさない！　休まさない！　延々と連日夜襲を仕掛けるわ！」

「お前らボンボンの兵隊さんの神経がすり切れて死んじまうまでな！」

ルミアの言葉に、ユルキが乗っかる。

意図を理解したからだ。

「自分たちは束の間の休息すら与えん！　夜が訪れる度に怯《おび》えろ！」

マルクスも意図を理解して乗った。

「おいサルメ、お前もなんか言え」

「え？　あ、はい」サルメが息を大きく吸う。「バーカ!!」

「うわぁ、センスねぇ……」

ユルキは溜息《ためいき》を吐いた。子供の悪口じゃないか。

「わたしたちを止められるものなら止めてみなさい！　たとえ英雄であっても、わたしたちを止めることはできないわ！　みなさんご機嫌よう！　明日もまた来るわ！　明後日も！　お前たちが滅びるまで！」

言ってから、ルミアは右手で【閃光弾】を作る。

「えげつねぇな」

ユルキは感心して呟《つぶや》いた。

ルミアの目的は、敵の士気を挫くこと。

いつ襲われるか分からない恐怖を植え付けること。

更に、たった一撃でルミアが英雄候補並か、それ以上の実力があることを示せた。

同時に、

ルミアですら英雄には勝てない、とユルキとマルクスは実感してしまったが。

「ここでワシが貴様たちを倒せば、それも終わりだ！」

マティアスが剣を構え直す。

「知らないのね。森で一度使っているのだけど」

ルミアが笑い、右手の光球を空中に浮かせる。

「目ぇ閉じろ」

ユルキは小声でサルメに言ってから目を瞑《つむ》った。

「これ【閃光弾】って言うの。覚えておいてね。忘れたらまた、明日もわたしたちを逃がすわよ？」

光球が空中で爆ぜる。

そしてすさまじい閃光が広がる。

マティアスを含め、敵がみんな両目を押さえて悶《もだ》えた。

その隙に、ユルキたちは再び馬を走らせる。

これで、英雄ですら《月花》を止められないという事実が生まれた。

全ては敵の心をへし折るため。

「やっぱ副長えげつねぇな。昔どんな軍人だったんだろうなぁ」

ルミアを敵に回したら最悪も最悪だ。

性根の腐ったクソッタレの団長なしでも、ここまでやれてしまう。

「趣味、戦争。特技、敵の心を折ること、ってか」

二章　四話

世界で一番何が怖いかですって？　決まってるじゃないの、《月花》の団長よ

サルメは少し興奮していた。

ユルキの後ろに乗っているだけなのだが、戦場の空気は十分に理解できた。

初日は怖かったし、何度か目を瞑《つむ》った。

二日目は目を瞑ることはなかったが、やっぱり少し怖かった。

そして今日は、
余裕すらあった。

「おいサルメ、敵の弓兵がちゃんと隊列組んでお出迎えだ。よく見ろ」

ユルキがそう声をかけた。

前方を見ると、二列に並んだ敵の弓兵がいた。

「えっと、二小隊……たぶん一中隊です」

前列に五人、後列に五人。それから、その隣にもう一人。たぶん指揮官。

こうやって、ユルキは時々サルメに色々なことを教えてくれる。

夜間の奇襲に対して、ちゃんと隊列を組めているということは、指揮官がいいということ。

サルメはこの三日間で多くのことを学んだ。

「んで、あの一人だけ鎧《よろい》が違う奴。ああいうのは指揮官で、階級が高い。だからとりあえず殺しとけば、俺らが有利だ」

前列の弓兵が矢を放った。

しかしその大半をルミアが矛で叩《たた》き落とす。

落せなかった矢はマルクスが剣で落とした。

だからサルメのところまで矢は飛んでこなかった。

「よっと」

ユルキはずっと火矢を放っている。

すでにユルキは自分の矢がなくなっていて、サルメの矢筒と交換済み。

職場見学兼、予備の矢筒係。

それがサルメの役目。

後列の弓隊も矢を放った。

さっきよりも距離が近いけれど、ルミアはさっきと同じように矢を落とす。

「すごい……」

その戦闘能力の高さに、感動すら覚える。

ルミアが漏らした矢はマルクスが落とす。

ユルキは淡々と火矢を放つ。

お互いを信頼している。そしてその信頼は、互いの実力をよく知っているから生まれるのだ。

早く、私も早く追いつきたい――サルメはそう強く思った。

前列の弓兵が再び矢を放つより早く、ルミアが【閃光弾《せんこう》】を炸裂《さくれつ》させた。

弓兵たちは目を押さえて呻《うめ》く。

魔法。

これが魔法の使い方。

ただ光を灯すだけの魔法を、武器と呼べるレベルまで昇華させている。

誰も魔法を戦争で武器にしようなんて考えなかった。

便利なだけで、威力が低いし、習得に時間もかかる。

剣の腕を磨く方がよっぽど役に立つ。

それが常識だった。

けれど。

ユルキの火を生成する魔法だって、火矢を作るのに最適だ。矢に火を点けるための松明を持ち歩く必要もない。

魔法は便利。

そして、使い方さえ考えれば、戦争でも便利。

「指揮官譲るわ！」

ルミアは弓兵たちを矛で薙《な》ぎ払って突破。

魔法を武器の一つとして使い、その他にも数多くの武器を扱える。

奇襲が得意だけど、実は個々の戦闘能力も高い。

それが魔法兵。

かっこいい、とサルメは思った。

「では自分が」

マルクスは剣で指揮官の首を刎《は》ねた。

馬を走らせながら、一瞬のすれ違いでそれをやった。

すごい。

この人たちは、本当にすごい！

そう感動した時、指揮官の生首はまだ宙に浮いていて、
サルメと目が合った。

長い黒髪の、綺麗《きれい》な女性だった。

その人の人生は終わった。大切な人がいたかもしれないし、やり遂げたいことがあったのかもしれない。

そうやって色々な人を終わらせるのが傭兵《ようへい》だ。

お金と引き替えに命を奪う仕事。

少しの罪悪感。

でも、これはいずれ消える。

慣れるのだ。人が死ぬことに。やがて、サルメも誰かを殺すようになって、それにも慣れるだろう。

ああ、そっか、とサルメは思う。

だから団長は言ったんだ。

デッドエンドしかないって。

死が日常になる。

そしていつか、自分の番が訪れるのだ。

◇

「テレサ……」

マティアスは《月花》を追うのを止め、馬から降りた。

「テレサ……」

マティアスの信頼していた副長は、胴と首が離れていた。

その首を優しく拾い上げ、優しく抱いた。

「君ほどの人間を……こんなつまらん戦争で……失うとは……」

英雄候補とまではいかないが、強く聡明《そうめい》で公平な女性だった。

「光で目を、潰されました……」

生き残っていた弓兵が悔《くや》しそうに言った。

「テレサ様は、剣を交えることすら、許されませんでした」

「そうだろう、そうだろうな。でなければ、君が時間稼ぎすらできず殺されるはずがない」

マティアスは泣いた。

久しぶりに泣いた。

悔しくて堪《たま》らなかった。

せめて戦って、ちゃんと戦って死ぬのならまだ許せた。

しかし。

傭兵団《月花》は夜襲を仕掛け、火を放ち、光で目を眩《くら》ました。

戦士としての矜持《きょうじ》もなく、ただただ陣を破壊して回った。

昼間の戦闘で疲れている兵たちを嬉々《きき》として殺して回った。

「許せるものか……。外道《げどう》どもが……」

彼らの戦績は全て偽物だ。

こういう汚い奇策で築き上げた偽物に過ぎない。

彼らは潰さなければいけない。

劇薬というよりは、完全なる毒。

傭兵は汚い仕事をする。それはマティアスも知っている。

だが、
ここまでやるか？

燃える自陣を見ながら、マティアスはもう自分たちが長く戦えないことを悟った。

◇

ルミアは寒気がした。

恐ろしい。

たぶん、ユルキとマルクスも同じことを感じたに違いない。

サルメはまだ《月花》に入って日が浅いので、彼女の怖さを知らない。

「……なんでいるのかしら？」

テルバエ陣に夜襲を仕掛け、アーニア陣に戻ったルミアたちの前には、彼女が立っていた。

ルミアはまだ馬に乗っていたので、彼女を見下ろす形。

彼女はルミアを見上げている。

そして。

彼女は笑っていた。

新しい玩具を見つけた子供みたいな瞳で。

キラキラと。

パッと見ただけなら、彼女は無邪気な少女に見えるけれど。

それは大間違い。

彼女には、

「とても面白いことがあったんだよ。プランCとして使えるよ。君たちの援護みたいなものさ。いや、本当に素晴らしいタイミングでね。神様とやらがいるのなら、私にこの玩具を使ってみろと言っているに違いない」

傭兵団《月花》団長アスラ・リョナには邪気《じゃき》しかない。

悪意が服を着て歩いているような人間だ。

「嫌な予感しかしないわ」

ルミアはアスラの育ての親として、色々と後悔が多い。

もちろん、アスラは出会った三歳の頃から頭がどうかしていたのだが、それでも少しぐらいはマトモに育って欲しかった。

ルミアにできるのは、せめて無差別殺人鬼に落ちぶれないように見張るぐらい。

「……嫌な予感のしない日って、ある？」

アスラの右に立っているイーナが小さく首を傾げた。

左隣にはレコもいる。

「凱旋《がいせん》気分から、俺は一気に地獄に落ちた気分だぜ」

「自分は平和な国が一夜にして滅びた時のような絶望を感じている」

ユルキとマルクスがそれぞれ小さく首を振った。

「どうして君たちはいつもそう悲観的なんだね？」アスラが腰に手をやって言う。「本当にとっても面白いから。私が保証する」

「今日も大打撃を与えてくれたようだな」

アーニア軍の将軍、テロペッカ・ブランナーがルミアたちの帰還を出迎えに来た。

「ええ。そうね。それなりかしら」

ルミアはまだ火が消えていないテルバエ陣の方に目をやった。

まだ足りない。撤退させるにはまだ足りない。

急がなければアスラが英雄を殺してしまう。あるいは、殺そうとして失敗してしまう。どっちにしても最悪だ。

「謙遜するなルミア」アスラが肩を竦《すく》める。「ここからでも、向こうが地獄絵図なのが分かるよ」

「君らを雇って本当に良かった。ワシはもしかしたら勝てるのではないか、という希望まで抱いている」

テロペッカは最初に《月花》を雇ってくれた人物だ。

白髪混じりのアゴヒゲがよく似合う、四五歳の男。体格が良く、風格がある。髪型は白髪混じりのオールバック。

「その希望はずっと抱いていたまえ将軍」

アスラが少し笑った。

「そうさせてもらおう。では、ワシはもう休む」

「俺らのことなんて放っておいて、寝ててよかったんだぜ爺《じい》さん」

「ふん。まだ爺さんなどと呼ばれる歳ではない」

ユルキの言葉に反論してから、テロペッカは自分のテントへと戻った。

「さて本題に入ろう」

アスラがそう言った時、ルミアは馬から降りた。

続いてユルキ、サルメ、マルクスも馬を降りる。

「プンティを覚えているかい？」

「プンティ？」とルミアが首を傾げた。

聞いたことのある名だが、どこで聞いたのか思い出せない。

「あれじゃねぇっすか？　団長に会いたいって言ってた英雄候補」

「自分が引きずっていったあいつか」

「……あたしが玉を潰したあいつ」

「ああ」とルミア。「いたわね、そういう子」

ほとんどなんの関心も持たなかったから、詳しくは覚えていない。

「私たちを探している奴がいる、って情報を貰《もら》ってね。アーニア兵から。それで見に行ったら、プンティだった」

話が見えない。

「そうなの？　それで？　その子がなんなの？」

「英雄候補って話だから、脅威なら排除しようかなって思ったんだけどね。一応、わざわざ敵地であるアーニアまで来てくれたわけだし、どういう人物なのか調べた」

「どうやって調べたのです？」

「うん。マルクスの疑問はもっともだ。答えを先に言うと、若き王に頼んだ。アーニアだって国なのだから、他国にスパイを派遣しているだろう？　特に戦争中のテルバエには諜報員から工作員まで広く派遣しているはずだ」

「そういうことね」ルミアは納得した。「敵国の有力者の情報を持っていないはずがない。だから資料を出してもらったのね？」

「正解」

アスラが楽しそうに笑う。

まるでナゾナゾ遊びをしている子供のようだ。

「そういうのって、機密とかじゃねーんっすか？」

「そりゃそうだろユルキ。もちろん機密さ。そう言われたけど、私が引き下がると思うかい？　こう言ってやったよ。『もしも私のプランが成功したら、ケツの穴を広げて私に見せろとお願いするよ。でも、君の返答次第で考え直そう』ってね。渋々だけど資料を渡してくれたよ」

「一国の王を……脅迫するなんて……」

ルミアがフラッと倒れそうになって、それをマルクスが慌てて抱きかかえた。

「副長、気を確かに。団長はいつだってそういう人間だったじゃないですか」

「副長ってポスト、俺は絶対なりたくねぇな」

「……ママは大変……」

「団長さんって、本当に自由ですね」

「さすが団長」

「ダメよサルメ、レコ。団長の真似しちゃ」ルミアが言う。「性根が腐ってるのよ、団長は」

「否定はしないけど、酷《ひど》い言われようだね。そろそろ本題に戻ってもいいかな？」

アスラが片手を広げると、それぞれが頷《うなず》いた。

「で、私はプンティの資料を読んで大笑いした。だから接触したんだよ。情報屋って名乗ってね。明日ここに来るから、ルミアは彼と決闘してやれ」

「はい？　どうしてわたしが決闘しなきゃいけないのかしら？　冗談じゃないわ。自分がやればいいでしょう？」

「これは作戦行動だ副長。よって、これは命令だ。明日、彼と、決闘したまえ。復唱しろ副長」

「……明日、わたしはプンティ君と決闘するわ」

命令と言われたら、嫌でも従わなければいけない。それがルール。

アスラは普段は反発されようが悪口を言われようが特に気にしない。

作戦行動中の反対意見に関しても寛容だ。

けれど、作戦行動中の命令違反は許さない。

もしも違反したら、死んだ方がマシなぐらい酷い目に遭わせて、再び忠誠心を叩き込むのがアスラのやり方。

それは育ての親で師匠だったルミアが相手でも例外じゃない。

「よろしい」アスラが言う。「まぁそう嫌がるなルミア。プランAの助けになる」

「どう助けになるのかしら？」

「うん。プンティのフルネームはね、プンティ・アルランデル。かの英雄将軍、マティアス・アルランデルの息子さ」

二章　五話

絶望と恐怖の話をしよう　僕はたぶん、驕っていたのだ

プンティは馬を借りて、南東の主戦場のすぐ近くまで走って来た。

街道をただ走るだけなので、特に何事もなく平和だった。

今の今までは。

街道の真ん中に、女性が立っている。

その姿を見て、プンティは馬の速度を落とした。

主戦場はもう目と鼻の先。

こんなところに立っている女性が一般人であるはずがない。

女性はとっても整った色っぽい顔立ちをしていて、髪の毛は茶色のセミロング。緩くウェーブがかかっている。

「その黒いローブ、《月花《つきばな》》の人かなー？」

女性は真っ黒なローブに身を包んでいた。

それはムルクスの村で戦った《月花》の三人と同じ格好。

「傭兵《ようへい》団《月花》副長、ルミア・カナールよ。迎えに来てあげたの。プンティ君に勇気があるなら、一緒にアーニアの陣まで行きましょう。将軍が直々に立会人を務めてくれるそうよ」

「へぇ。お出迎えとはありがたいねー。もしかして、銀髪の情報屋から僕のこと聞いた？」

プンティに情報を売ったあと、プンティの情報を《月花》に売ったのだと推測。

ちゃっかりした少女だ。

「そうね。決闘したいんでしょう？　受けるわ。お互いの条件は立会人の前で確認しましょう」

ルミアがプンティに背を向ける。

「僕が悪人だったら、後ろから攻撃されるとか思わなかった？」

プンティは馬をゆっくり歩かせて、ルミアの隣に並んだ。

「決闘したいって言う人が、そんな無意味なことしないでしょう？」

「まぁね」

本当にこの人強いのだろうか？

なんだかおっとりしているし、傭兵っぽくない。

でも歩き方が美しいので、弱くはないか？

「ルミアさん、って呼んでいいかなー？」

「好きにどうぞ」

「ルミアさんって、どのぐらい強い？」

「決闘が始まったらすぐ分かるわ。それにしても、よく戦争中に自分勝手な行動ができるものね。テルバエ軍って軍規が緩いのかしら？」

「僕は特別だから」

そう。プンティ・アルランデルは特別な人間だ。

英雄の息子として生まれ、英雄の息子として育てられた。

一騎打ちに限れば、テルバエ大王国内でプンティに勝てるのは父のマティアスぐらいか。

英雄や英雄候補を除けば、ほとんど負けナシの人生を歩んできた。

中位の魔物ですら、プンティは一人で倒せる。

「わたしが将軍なら、そういうのは許さないのだけれど」

ルミアは少しだけ肩を竦《すく》めた。

◇

アーニア陣で、何人かの兵士と《月花》のメンバーがプンティとルミアを囲んだ。

「じゃあ、プンティの望みは《月花》のイーナの身柄でいいね？」

アスラは楽しそうに言った。

「情報屋、なーんで速攻で僕の情報売るかなー」

「手間を省いてあげたんだから、駄賃が欲しいぐらいさ」

「まぁ、確かにそうか。お迎えのおかげで安全にアーニア陣内に入れたし。てか、君本当に何者？」

「決闘が終わったら教えてあげるよ」

アスラはニコニコと笑っている。

「貴様の望みであるイーナ・クーセラはここだ」

アーニア軍の将軍、テロペッカの隣にイーナが立っている。

イーナは後ろ手に縛られている。縛ったのはアスラだ。本当に差し出す気がある、というポーズのためだ。

ここでプンティに逃げられるわけにはいかない。

「わたしの望みはプンティ君の身柄。わたしが勝ったら、プンティ君は一切の抵抗をせず、アーニア軍の捕虜になること」

プンティ一人で、テルバエ軍が捕えた全アーニア兵と交換することもできる。

それほどの人物なのだ、プンティは。

まぁ、
私の狙いは別だけど、とアスラは思った。

「立会人はワシが務める。不足はなかろう?」

「戦闘中に悪いね、将軍様」プンティが言う。「指揮を執らなくて平気?」

アーニア軍とテルバエ軍は、今も戦っている。

昼過ぎなので、当然のことだが。

「マティアスが出てこない限り問題ない。《月花》のおかげで、連中は消耗している。それにどちらかというと、貴様の身柄の方が我々に益が多い」

「そりゃそうか。君たちは僕が誰か知っていて、その価値も理解しているってことだね。武器を貸してもらえる？」

兵士の一人が、プンティに剣を投げ渡した。

「わたしの方も剣でいいかしら？」

「好きな武器でいいよー。魔法も使っていいし、何をしてもいい。でも、乱入だけは許さない」

プンティは自信満々でそう言った。

「ワシが乱入など許さん」テロペッカが言う。「ワシの名誉を懸けよう。これは公正な決闘となる」

「いいから早く始めなよ」アスラが言う。「せっかくのショーだから、本当は酒でも飲みたいところだがね」

身体がまだ酒を受け付けないのが、非常に残念。

「うむ。では双方、最終確認だが」テロペッカが言う。「相手を殺すことは許さん。どちらの身も、我々には重要だ」

ルミアとプンティが頷《うなず》く。

「では決闘を始めよ!!」

テロペッカの合図で、プンティが動いた。

「ほう、速いじゃないか」

アスラが呟《つぶや》く。

プンティは一気に距離を詰めて横に一閃《いっせん》。

ルミアはその一閃を片手で持った剣で受け止める。

プンティが目を丸くした。

「サルメ、お茶は用意してくれたのかしら？」

ルミアはとっても気軽な感じで言った。

プンティは後方に飛んで一度距離を取った。

「どうぞ、副長さん」

サルメがティーカップをルミアに差し出す。

ルミアはティーカップを左手で受け取った。

「これ、乱入じゃないわよ？　お茶が飲みたくなっただけなの。気にしないで攻撃していいわよ」

そう言って、ルミアがお茶を一口飲む。

「舐《な》めんなよっ！」

プンティは怒りを露わにして、再び距離を詰めた。

◇

有り得ないっ！

プンティは焦っていた。

全ての攻撃を、ルミアは片手で握った剣で弾いてしまう。

時々、左手のお茶を飲む余裕っぷり。

斬り上げても、回り込んでも、どこをどう攻撃しても防がれる。

「なんなんだよあんた!!」

プンティは両手で剣を握り、本気で打ち込んでいるのだ。

それなのに、ルミアは涼しい顔で受け止める。

「剣にはちょっと覚えがあるの」

「そんなレベルじゃないだろ!!」

プンティは攻撃するのを止めた。

一息入れないと、プンティの体力が保《も》たない。

「なんであんたみたいな人が無名なんだよ！」

まるで。

そう、まるで大英雄と対決している時のよう。

過去に一度だけ、プンティは大英雄アクセル・エーンルートに戦ってもらったことがある。

アクセルは武器を扱わない、無手《むて》の大英雄として知られている。

東フルセン地方では間違いなく最強の男だ。

そんなアクセルと戦った時のような絶望感がある。

もちろん、アクセルは本気じゃなかったし、あとで聞いたら「二割程度の力だった」と言っていたが。

「あんたは一体、誰なんだよ！」

「すでに名乗ったわよ」

ルミアはティーカップを地面に置いた。

中身を飲み干したのだ。

「有り得ない、有り得ない、あんた、自分がどのぐらい強いか理解してる⁉　噂《うわさ》にすら聞いたことがないなんて有り得ない！」

「この一〇年、フラフラしていたのよ。クソ生意気な女の子を育てながら」

ルミアが初めて剣を構えた。

剣の柄《つか》を額の前で並行にする構え方。

刀身が横に寝ている状態。

「その構え……中央の……？」

ルミアの構えは中央フルセン地方の剣術。

東フルセンでは、剣先を相手の顔に向けて構えるのが主流。

「さすが英雄候補。中央の剣術も知っているのね」

「あんた、本当に誰なんだよ……。ルミア・カナールって、偽名……」

プンティは言葉を途中で止めた。

正確には、喋《しゃべ》れなかった。

すでにルミアの剣の刃が、プンティの左頬に触れていたから。

「反応ぐらいして欲しかったわ。今の英雄候補って、昔より質が落ちてるのかしら？」

「こ、降参……します……」

プンティは膝から崩れ落ちた。
絶望。
無力感。
そして何より、恐怖。
あの一瞬。
プンティが偽名と言ったあの一瞬のルミアは、
まるで《魔王》のような恐ろしさがあった。
この人は本当に人間なのだろうか？
微かに震えながら、プンティはそんなことを思った。

◇

「ぶっちゃけ、副長だけいれば俺らいらなくね？」

「うむ。過去二回の任務、今回の任務、全て副長だけで良かったのではないかと思う」

「……怖い怖い……副長怖い……」

「言葉が、出ません」

「オレ知ってた。こうなること」

アーニア兵が無気力状態のプンティを縛り上げている間、《月花》のメンバーがそれぞれの感想を漏らした。

「ユルキ。私は君らが必要だから団に誘ったんだ。君らがいるから、チームを二つに分けたり、色々なことができるんだよ」

「そうは言われても、副長が戦うとこ見ると、やっぱ実力差に切なくなるっす」

「慣れろ」

アスラはユルキの背中をバシンと叩《たた》いた。

「マルクス。心配しなくても君も十分に強い。それに君は連携が得意だろう？　ルミアは連携に関してはやや苦手だ。それに扱い難い部分が多い」

「……自分は扱いやすいという意味ですか？」

「それはいいことだマルクス。落ち込むな。ルミアは個人の戦闘能力について言えば、完全に規格外なんだよ。時々、人間かどうかも疑わしいね」

ハハッ、とアスラが笑う。

「イーナ。ルミアが怖いのは一騎打ちの時だけさ。ルール無用の殺し合いなら私の方が勝つ」

「それは……そう思うけど……」

「まぁ、ルミアの水に砂糖を入れるのはもう止めておけ」

アスラは上機嫌で言った。

実際、かなり機嫌がいい。ルミアの剣術を久しぶりに見たというのもあるし、全てが予定通りに転がったのもある。

「……分かったけど、あたしのこれ」イーナがクルッと背中を見せる。「……解いて？」

「そのままでいいわよ。砂糖のお返しをしましょう。鞭《むち》があればいいのだけれど……」

「……嫌……助けて団長……」

イーナが泣きそうな顔でアスラを見た。

「まぁまぁルミア」アスラが言う。「また今度にしてくれないかな？　私たちはもう帰るよ。こっちもこっちで、やることがあるからね」

「もう帰るの？　このままわたしたちと一緒に戦わない？　勝ちへの道は見えているわ」

ルミアが言うが、アスラは首を横に振った。

「そうだね。君たちはきっと、テルバエ軍を撤退に追い込むだろう。ここから見える戦闘だけで、彼らにもうあまり余力がないのが分かる。お手柄だ。頭を撫《な》でようか？　望むならね」

「別に望まないわ。それより、本当に帰るの？」

「帰るよ。まぁその前に、プンティに挨拶しておくか」

言ったあと、アスラはプンティの方に歩いて行った。

プンティは縛り上げられ、ぼんやりと地面を見ていた。

「やぁ、大変な目に遭ったねプンティ」

「……団長、って呼ばれてたね……」

プンティは顔を上げたが、目に光がない。

「ああ。自己紹介が遅れたか」ふふっ、とアスラが笑う。「私はアスラ・リョナ。傭兵団《月花》の団長をやっている。ありがとうプンティ。君のおかげで、全ての捕虜を奪還できる」

そして。

テルバエ軍に戻ったプンティはもう怖くない。

プンティの心は折れている。

「……最初から……全部……計算してたんだねー」

「もちろんだ」

私はルミアの正体を知っている。

で、あれば、

「英雄候補如きがうちのルミアに勝てるものか。ルミアに勝ちたければ本物の英雄を連れて来い。ではご機嫌よう。よく晴れたいい日だ。ゆっくり絶望に浸るといい」

「ああ……もう君には会いたくない……ルミアさんにも……」

「よし。行くぞイーナ、レコ」

アスラは馬を繋《つな》いでいるところに移動して、自分の馬に飛び乗る。

それから左手を伸ばしてレコを引っ張り上げてやる。

レコがアスラの後ろに乗って、アスラに抱き付く。

「胸に触るなレコ」

「団長、胸どこ？」

「殺すぞお前。もっと下を摑《つか》め」

アスラがちょっと怒った風に言うと、レコは慌ててアスラの腹の辺りに両手を下げた。

「……団長、レコこっちで引き取る？」

イーナも自分の馬に跨《また》がった。

「いや、問題ない」

言ってから、アスラは馬を歩かせる。

イーナもそれに続く。

アーニア陣を抜け、しばらく進んだところで、アスラは方向転換。

北に進路を取った。

北には森がある。《月花》が初陣《ういじん》を飾ったあの森だ。

「さて。始めるぞ？」

「はい団長」

「……団長、みんな騙《だま》した……」

「作戦行動だイーナ。何も問題ない」アスラが極悪な笑みを浮かべる。「テルバエのクソどもに、プンティが味わった以上の絶望を贈ってやろうじゃないか！　彼らはどんな顔をするんだろうね！　楽しみで仕方ないよ私は！」

一章　六話

英雄は人類を守る希望のような存在
分かった、でも死ね

アーニア側は銅鑼《どら》を鳴らし、一時的に戦闘を止めた。

戦争にはルールがある。アスラは多くを無視するけれど、ちゃんとルールがあるのだ。

銅鑼を鳴らした場合、大将同士で話し合いたい、という合図。

大抵は降伏する場合に鳴らすので、よほどヒートアップしていない限り、戦闘は中断される。

テルバエ兵とアーニア兵はそれぞれ横一列に並び、二〇メートルほどの距離で対峙《たいじ》。

テルバエ側からマティアスと他数名が前に出る。

アーニア側からは傭兵団《ようへいだん》《月花《つきばな》》とテロペッカ。

それから、捕虜にしたプンティ。

「プンティ!?」

プンティを見てマティアスが大きな声を上げた。

「マティアス殿」テロペッカが言う。「捕虜交換を申し出る」

「……姿が見えんと思ったら、《月花》に捕まっていたのか……」

マティアスがルミアを睨《にら》んだ。

ルミアは肩を竦《すく》めただけで、否定も肯定もしなかった。

「マティアス殿の息子であり英雄候補のプンティと、そちらが捕えている我が方の兵士全員を交換してもらいたい」

「全員……だと……？」

「それだけの価値がある、とワシは思っている。銅鑼を鳴らし、戦闘を中断してでも、捕虜交換を持ちかける価値がある、と。よって、彼には尋問も拷問もしていない。が、断るというのであれば仕方ない。プンティから得られるだけの情報を得たのち、処刑させてもらう」

「貴様……どうせ《月花》が汚い手を使ってプンティを捕縛したのだろう⁉」

マティアスは顔を真っ赤にして叫んだ。

今にも剣を抜きそうな勢いだった。

しかし、それはないと誰もが知っている。

英雄には特権がある。

同時に義務もある。

私怨《しえん》による殺人の禁止。私利私欲による殺人の禁止。

戦場の銅鑼が鳴り響き、戦闘を中断した状況でマティアスが誰かを殺せば、それは私怨によるもの。

すぐに英雄の称号を剝奪される。

「プンティ君」ルミアが微笑む。「自分がどうして捕まったのか、お父様に説明しなさい」

「父さん……僕は、決闘で負けたんだよ……」

「バカな⁉　お前ほどの実力者が、決闘で負けただと⁉　信じられん！　誰に負けたと言うのだ⁉

テロペッカか⁉」

「わたしよ」ルミアが言う。「ごめんなさいね。わたし、ちょっと強いの。知ってるでしょ？」

「傭兵団《月花》の副長……ルミア・カナール……。確かに貴様なら、プンティとも対等に戦えるやもしれぬ……」

マティアスはきつく拳を握っている。

「対等？　その冗談は笑えないわ。でもまぁ、その話は置いておきましょう。どうするの？　捕虜交換に応じるのかしら？」

しばらく沈黙。

誰も何も言わないまま、数秒が経過。

マティアスはゆっくりと、「応じよう」と言った。

「おい、誰かアーニアの捕虜を連れて来い！」

マティアスが叫び、そこからまた沈黙が始まる。

酷《ひど》く重たい沈黙。

けれど、ルミアはあまり気にしていない。

ユルキの方を見ると、「ちびりそう」と口を動かした。

英雄を敵として目の前にしているのだから、それも仕方ないこと。

マルクスの方を見ると、無言でマティアスを見ていた。

特に問題なさそうなので、ルミアはサルメに視線を移す。

サルメは英雄の強さや怖さをまだハッキリ認識していないので、割と涼しい顔をしているように見えた。

でも身体を半分ユルキの後ろに隠していた。

どうやら、怖いけどそれを表に出さないように我慢しているようだ。

「退屈ね。少し話でもしましょうか？」

「貴様と話すことなど何もない。捕虜交換が終わり、戦闘が再開したらワシが自らくびり殺してやる。覚悟しておけ」

「あら、それって私怨？」

ルミアは両手を小さく広げた。

「敵兵を殺すに過ぎん」

「まぁ怖い」

ルミアが微笑みながら言った。

「連れて来ました！」

テルバエ兵がアーニア兵の捕虜たちを連れてきた。

全部で一二人。

「結構、捕まってたんっすね」

「そのようだ」

ユルキとマルクスが呟《つぶや》いた。

捕虜交換は迅速に行われた。

「プンティ、ワシがどれほど心配したか……」

マティアスは縛られたままのプンティを抱き締めた。

今のマティアスは、完全にプンティしか見えていない様子。

不意打ちしたら倒せるのではないか、とルミアは思った。

もちろん、そんなことはしないけれど。

ただ、そんなことを考えてしまう辺り、魔法兵としての教育が染み込んでいる。

ここにアスラがいなくて良かった、と胸を撫《な》で下ろす。

父と息子の再会も、戦争のルールもアスラには関係ない。

半殺しにして捕える、ぐらいのことはやりそうだ。

「ごめん、父さん……」

「いいんだ。お前が無事で良か……ぐっ！」

突然、マティアスの肩に矢が刺さって、
マティアスが少しだけ身を縮めた。

そして次の瞬間、
別の矢がマティアスの頭をぶち抜いた。

マティアスが地面に倒れる。

「は？」

ルミアは何が起こったのか理解できなかった。

たぶん、みんなそうだった。

少しの空白。

「おいっ！　冗談じゃねぇぞ！」ユルキが叫んだ。「俺らと交渉してる時に英雄が死ぬとかマジで冗談じゃねぇぞ！」

死んだ？

英雄が？

あのマティアスが？

《魔王》討伐を二度も生き残り、大英雄候補と言われるマティアスが？

たった二本の矢で？

「何があった⁉」

「矢はどこから飛んで来た⁉」

「誰だ⁉　誰が射った⁉」

急に周囲が騒がしくなる。

プンティは「……父さん……？」と震える声で呟いた。

ルミアは周囲を見回した。

襲撃者を探した。

でも見つからない。どこにもいない。

矢は誰が放った？
ああ、そんなこと、聞くまでもないじゃないの！
あのクソアマ、っとルミアは唇を噛《か》んだ。
このタイミングで殺すか？
交渉が無事に終わって、誰もが安堵《あんど》するこのタイミングで？
特に、息子を取り戻したマティアスの気が緩んでいた。
そこでルミアは気付く。
騙《だま》されたことに。
プランAの助けになる――アスラはそう言った。
嘘《うそ》だ。全部嘘だ。何もかもっ！
マティアスの気が緩むところまで計算して、プンティを捕まえたのだ。
その瞬間にマティアスを射貫くために。
全てはプランBの成功率を少しでも上げるため。
「これはどういうことだ⁉」
テロペッカが叫んだ。
「知らないわよ！　こっちが聞きたいわ！　とにかく、わたしたちは関係ないわ！」
成功したらシラを切れ。
失敗してもシラを切れ。

「副長、周囲に混乱が広がっています。一度下がりましょう」

マルクスは比較的、冷静だった。

「え？　え？　え？」

サルメは未だに状況が飲み込めず、キョロキョロしながら右手でユルキのローブを掴《つか》んでいる。

「捕虜交換はすでに済んだわ！　わたしたちは陣まで戻るわ！」

「ワシらも戻れ！　英雄殺しにされてはたまらん！　戻れ！　戦闘は行うな！　速やかに自陣まで引けぇ！」

今、テルバエを攻撃したらアーニアは勝つだろう。

だがダメだ。それをやったら、アーニアの策略であると宣伝するようなもの。

いや、もちろん今でもアーニアの関係者が最有力の容疑者なのだが。

◇

数分前。

アスラたちは木の枝に座っていた。

ここは森と草原の境界線。

ここからなら、主戦場がよく見える。

まぁ、見えると言っても六〇〇メートルは離れているので、肉眼でハッキリ見えるわけではないが。

「この派手な服、なんに使うのかと思ったけど」レコが言う。「森の中なら、保護色になるんだね、団長」

「その通り。向こうからこちらは見えないだろうが、念のためだ」

アスラたちはいつもの黒いローブではなく、緑と茶色の迷彩ローブを着用している。

必要な道具は昨夜のうちに全てここに運んでおいた。

「さて。もうすぐ捕虜交換が始まる」

すでに銅鑼の音が戦場に響き渡ったので、戦闘自体は中断されている。

いいルールだ、とアスラは思う。

この世界において、戦闘が終わるのは日が落ちた時と銅鑼が鳴った時。

それから、みんな死んだ時か。

「イーナ。今後は君に狙撃を担当してもらうから、私の話をよく聞け。レコは本当に聞くだけでいい。頭の片隅に入れておけ」

「……あたし？」

イーナはアスラよりも少し高い枝に立っている。

「ああ。君は弓だけならうちで一番上手だからね。狙撃もすぐできるようになるさ」

アスラはコンポジットボウに固定した小型のフィールドスコープを覗《のぞ》き込む。

レティクルがないのはまぁ、仕方ない。

「本当は伏して撃つのがいいんだけど、弓矢じゃそうもいかないから、片膝を突いてしゃがみ、姿勢を制御」

「……団長がずっと練習してたの見てた……」

「ああ。だが説明はしなかったはずだ」アスラが言う。「しかし、この世界に望遠鏡の技術があって良かった。精度はさほど良くないがね」

前世の世界とは技術の発展の順序が色々と違うような気がした。

アレはあるのにコレはない。コレはあるのにアレがない。

一番悲しいのは、銃がないこと。

一番嬉《うれ》しいのは、魔法が存在したこと。

「……弓に望遠鏡付けた人、初めて見た」

「だろうね。長距離狙撃という概念がこの世界にはない。はん。戦士どもがもてはやされる世界だから仕方ないだろうがね」

決闘や一騎打ちが当たり前の世界。

正々堂々と戦うことに重きが置かれる世界。

「おっと、人質交換が始まった」フィールドスコープを覗きながら、アスラが少し笑う。「狙撃において大切なのは風と距離。あとは重力による弾丸の……違うな、矢の落下」

「……なんとなく分かる」

「スコープ……望遠鏡のことだけど、スコープにターゲットを捉える。で、どの辺りを狙うか決める。風と距離と重力を考慮して、あとは感覚だね」

「その……感覚のために、団長は何千回も練習した……？」

「ああ。手がもげるかと思ったよ」

スナイパーライフルなら、アスラは二〇〇〇メートル先の目標をぶち抜くことも可能だ。

しかし弓矢はこっちの世界に生まれてから練習したもの。

扱えるが達人というわけではない。

「風は向かい風だが微風。距離はだいたい六〇〇。目測だから、誤差はあるだろう」

弓に矢をつがえ、フィールドスコープを確認しながら角度を微調整。

「弓で狙撃する場合、ターゲットより上を狙わなくてはいけない。だいたいこの距離だと五〇度ぐらいかな？　矢の飛行時間は一〇秒前後かな？　まぁ、全部感覚だけどね」

「……その感覚……あたし得られるかな……？　自信ない……」

「得られるまで練習したまえ。それと、今回は【加速】を乗せるから、ほぼ直接ターゲットを狙ったのでいい。矢の飛行時間もずっと短い」

正直な話、イーナの【加速】がなければこの距離で狙撃しようとは思わない。

コンポジットボウは確かに狙撃用に作らせたけれど、想定していたのはもっと短い距離。

「そして大事なことだけど、相手が英雄なら矢は二本までだ」

「……どうして？」

「一本目は完全に意識の外側だから、相手は絶対に反応できない。これで仕留めるのが最良。二本目もまだ何が起こったかハッキリ理解できていないだろう。だから八割方、当たるはずだ。けれど、三本目には対応する」

「……できるかな？　……あたし五本ぐらい刺さりそう……」

「イーナは無理だね。英雄の話だ」

アスラでも三本目に対応できるかは五分五分。

けれど、ルミアならきっと対応する。

ならば、大英雄候補とまで言われているマティアスも対応してくるはずだ。

「まぁ、一応三本用意はしているがね。全部外してしまってもそこで打ち止め、撤退する。四本目を射ると、こちらの位置がバレる可能性がある」

まぁ、バレたところで距離がある。

撤退自体は可能だ。

しかし念のため、ほんの少しも姿を見られたくない。

やれることは全てやる。徹底してやる。それが英雄を殺すということ。

「さて、引き金……じゃない、矢を射る時は息を止めて、ブレを最小限に留め……」

言ってから、アスラは息を止める。

イーナが【加速】を矢に乗せる。

フィールドスコープの中で、マティアスがプンティを抱き締めた。

計画通り。

意識の外側の、更に外側。

マティアスは今、プンティのことしか気にしていない。

アスラは矢を放ち、即座に二本目をつがえる。

再び息を止める。

イーナがすぐに【加速】を乗せた。

微調整し、放つ。

一本目の矢はマティアスの腕か肩に命中した。

「ちっ……」

舌打ちして三本目の矢に手を伸ばす。

しかし、二本目の矢はマティアスの頭を綺麗《きれい》に射貫いた。

「よしっ！」

これだ。このためのプンティだ。

一本目を外した場合でも、マティアスの意識がプンティに向いていれば、二本目に対応するのは九割方不可能。

成功率を一割でも上げるために、プンティを捕虜にしたのだ。

「……団長すごい……あたし、やれる気しない」

「ふん。練習したまえ。なぁに、私が優しく指導してやるさ」

言いながら、アスラは木から飛び降りる。

「……優しく？」

イーナも続いて飛び降りた。

レコは下の枝を一度経由してから降りた。

「ずっと私は優しかっただろう?」

「……あれが優しいなら……厳しい指導って……」

「厳しいのが望みならそうしてやるが、とりあえず撤退だよ」

アスラが森の奥へと走る。

イーナとレコもそれに続く。

走りながら、アスラはとっても興奮していた。

誰もが神格化していた英雄を、殺してやった。

できない、と誰もが言った英雄殺しを遂行した。

「ああ、宣伝できないのが本当に残念だよ私は」

走りながら、
笑みが漏れる。

あとは、完璧にシラを切るだけだ。

二章　七話

私の花びらが見たいかね？綺麗なピンクさ、すぐ爆発するから注意が必要だがね

アスラが英雄将軍マティアスを殺してから四日後。

アスラたち《月花《つきばな》》はアーニア城の謁見《えっけん》の間に呼ばれていた。

「そなたたちの活躍もあり、テルバエ軍は撤退」アーニア王が言う。「更に昨日、テルバエより使者が訪れ、我々は二年間の停戦条約を結ぶことができた」

「そりゃ良かった。私らの商売は終わってしまったがね」

アスラは相変わらず、跪《ひざまず》くこともなく肩を竦《すく》めた。

当然、ユルキとイーナも跪いていない。ついでにレコとサルメも。

ルミアとマルクスは膝を折り、床を見ている。

「英雄の死という衝撃的な出来事もあったが……」アーニア王が溜息《ためいき》混じりに言った。「おかげで、余も将軍も兵たちも、議会員も、英雄連中に締め上げられた。もちろん、我々は関与していないゆえ、特に問題はないが」

アーニア王は少し疲れている様子だった。

「そうとう絞られたみたいだね。まぁ、拷問されなかっただけマシってところか。状況証拠だけで、確たる証拠は何もないのだから、当然か。英雄は私たちみたいな暴力集団じゃないからね」

アスラは笑った。

「そうでもネェんだお嬢ちゃん」

柱の影から、男が出てきてそう言った。

男は筋肉ダルマという表現がシックリくるような体型をしている。マルクス以上に筋骨隆々。

「すまぬアスラ」アーニア王が申し訳なさそうに言う。「どうしても、そなたたちを尋問したいと言われたのだ」

「ここで？」とアスラ。

「おう。ここで、だ嬢ちゃん。テメェらの自白、みんなに聞いてもらいてぇからヨォ」

男の年齢は六〇歳前後か。

短く切り揃《そろ》えた髪は真っ白だ。

しかし、男の発する闘気はすさまじかった。

ルミアとマルクスがすぐに顔を上げた。

サルメは一瞬、ビクッと身を竦める。

「自白？　何を白状すればいいんだ英雄」

アスラはニヤニヤと笑った。

闘気は怖くない。

「おう。俺様は英雄じゃネェんだよ」男がツカツカとアスラの前まで歩いてくる。「大英雄アクセル・エーンルート。それが俺様の名だ嬢ちゃん」

「そりゃ失敬。まさか大英雄様が直々に、私らみたいなゴロツキ集団を尋問するとは思わなくてね」

大英雄は東フルセン、中央フルセン、西フルセンにそれぞれ二人ずつしかいない。

つまり、未踏の地を除いて、地図に載っている国全てを含めて、
そこに住まうあらゆる人間の中で、
アクセルは最低でも六番目に強い人間ということ。

「……大英雄が……まさか……本当に？」

ルミアは酷《ひど》く驚いた様子で立ち上がった。

「そりゃ本当も本当さ姉ちゃん」カカッ、とアクセルが笑う。「んでな、嬢ちゃん」アクセルがアスラを見下ろす。「テメェが団長なんだって？」

「その通り、私が団長のアスラ・リョナだ。覚える必要はない。君らにとっては些細《ささい》な存在だろう？私らなんて」

「おう。けどヨォ、その些細な存在が、英雄を殺したとなりゃ話は別だ。単刀直入に聞くぜ？　マティアスを殺したか？」

「いや殺してない」

アスラがそう言った瞬間、
アクセルはアスラを殴りつけた。

アスラは無防備な状態で殴られ、数メートル吹っ飛んで床を転がって柱にぶつかって止まった。

「アクセル殿！　何をする！」

アーニア王が叫び、立ち上がった。

「いい。気にするな若き王」

アスラは柱を支えにしてヨロヨロと立ち上がり、アーニア王に向かって右手をヒラヒラと振った。

《月花》のメンバーは全員静観している。

「あんなぁ、嬢ちゃん」アクセルはゆっくりとした足取りでアスラに近寄る。「状況的にはどう考えても、マティアス殺したのはアーニアの連中だ。だろ?」

「浅はかだね」

アスラは笑おうとしたが、その前にアクセルの拳が腹部にめり込む。

「かはっ……」

あまりの痛みにアスラは腹部を押さえて床に伏せた。

「けどなぁ嬢ちゃん。誰に話を聞いても、知らないってんだ。やってねぇ、ってな。そりゃまぁそうだ。俺様らもバカじゃネェんだ。アーニアにマティアス殺せるほどの奴はいネェよ」

アクセルは伏せているアスラを蹴り上げる。

アスラの小さな身体が宙を舞う。

そして舞い終わって落下。

「んでな?」

アクセルが落下するアスラの髪の毛を右手で掴《つか》む。

「みんなが口揃えて言うわけヨォ。そんなことやれるとしたら、傭兵《ようへい》団《月花》だけだってな」

「なんだ君……噂《うわさ》で私らを犯人扱いしてるのかい？」

「おう。そんでな？　プンティにも話を聞いたわけだがヨォ。あいつ言ってたぜ？　テメェら汚ねぇ真似が得意で、やった可能性は高いってヨォ。なんでも、マティアスが死んだ時、団長のテメェと黒髪の女はいなかったたって話じゃネェか」

「だから、それは状況証拠だろう？　私はやってない」

アスラの言葉が終わると同時に、アクセルはアスラを五回殴りつけた。

髪の毛で宙づりにされているアスラに躱《かわ》す術もなく。

ただ痛みに喘《あえ》いだ。

しかし意識は飛ばない。アクセルはちゃんと加減して殴っている。

「いやテメェらだ。あるいはテメェの独断か？　そりゃ分からネェ。けど、聞いた話や状況を総合すると、テメェしかいネェんだよ。アーニアの誰かがテメェに依頼した。だろ？　俺様はそんな間違ってネェだろ？　だから吐けや。誰に依頼されたか、あと、どうやったかをな」

「だから……浅はか」

アクセルはアスラを床に叩《たた》き付けた。

アスラの身体が床で跳ねる。

「もうよせアクセル殿！　アスラは違うと言っているではないか！　死んでしまう!!」

「黙れ王様。俺様らはヨォ。マジで怒ってんだ。そりゃブチキレだろ？　英雄が、殺されたんだぜ？

前代未聞だろぉがヨォ。英雄同士の殺し合いでもなく、名前も知らネェどっかの誰かに英雄が殺されたなんてヨォ！」

「クク……マティアスは矢で死んだらしいね……？」

アスラがノロノロと立ち上がる。

「ああ？」

「その矢はどっから……飛んで来て、射手はどこだい……？　誰か見たのかな……？」

「知らネェからテメェが吐けっつってんだろうが‼」

アクセルがアスラの腹部を殴る。

アスラはたまらず胃の中の物を全部吐き出した。

「……ははっ、私みたいな美少女に……ゲロ吐かせてお楽しみか？」

「んなろぉ、俺様が好きでテメェみたいなガキ痛めつけてると思うか⁉　ああ⁉　どう考えても、どう見ても、テメェらが犯人だからやってんだヨォ‼」

「でも私を殺さない……。それは、確たる証拠がないと……英雄は私怨《しえん》で殺してはいけないという義務に、反するから……だろう？　特に、君は大英雄だ……。全ての英雄の規範となる必要が……ある」

アスラは立ち上がる。

拷問には慣れている。散々訓練したのだから、この身体でも耐えられる。

「そんだけじゃネェ！　前代未聞だと言ったろうがヨォ⁉　俺様だってまだマティアスが殺されたことを受け入れられネェ！　テメェらがどうやったのか、キッチリ吐かネェと他の英雄連中も納得しネェ！」

アクセルがアスラを殴りつける。

アスラはフラつくが、今度は倒れなかった。

「分かってんのかテメェ⁉　何やったか分かってんのか⁉　俺様らはな！　ゴロツキに殺されることなんか想定してネェんだよ！　テメェは、俺様らのルールを根本から覆しちまったんだヨォ！　対策しなきゃいけネェ！」

「知らないよ、そんなこと」

「クソガキがぁ！　俺様らが、なんで俺様らが暗殺対策なんかしなきゃならネェ⁉　俺様らは《魔王》に対する人類の備えだろうが！　俺様らは、人類のための存在だろうが！　それがなんで！　守るべき人類に暗殺されなきゃいけネェんだよ‼」

「でも君らだって生活しているし、仕事だってしているだろう？」

「あん？　それがどうしたってんだ？　なんの話してんだテメェは」

「英雄である前に、君らも人間なんだから、そりゃ、恨みを買うことぐらいあるだろう？　有名人のくせになんの対策もしてないのが、そもそもアホなんだよ。強いからって傲慢になってるんじゃないかね？」

「テメェ！」

また、アクセルがアスラを殴りつける。

しかしアスラはそれを躱した。

アクセルは怒っているが、本気で殴っていない。アスラを殺さないよう、力を制御している。

「避けてんじゃネェ!!」

「……いや、そろそろ私死ぬぞ？　君のために避けたんだけどね」

大岩をも砕く一撃。手加減されていても、ダメージは大きい。

もう二回か三回殴られたら、立てなくなる。

だからここまで。殴られてやるのはここまでだ。

「テメェは！　テメェらは！　英雄を殺した！　それはつまりヨォ！　人類への裏切り行為だろうが！　テメェらは人類の敵なんだヨォ!!　分かったら吐けや!?　そしたら、最後は普通に処刑してやる！　拷問もナシ！　ただ殺すだけだ！　悪くネェだろ!?」

「悪いに決まってるだろう、クソが」

「クソはテメェだろうが！　テメェらゴロツキが気分良く戦争ゴッコできてんのは誰のおかげだ!?　ああ!?　俺様ら英雄が！　人類の脅威を命がけで排除してっからだろうがヨォ!!」

「ふん。勘違いも甚だしいね」

「ああ!?」

またアクセルがアスラを殴ろうとしたのだが、殺気に気付いて動きを止めた。

「そこまでよ。本当にそこまでよアクセル様」ルミアが酷く冷たい声で言った。「これ以上わたしのアスラを、いえ、わたしたちの団長を殴るなら、あなたを殺すわ」

ルミアはすでに短剣を両手に装備している。

「ああ⁉　テメェ、俺様が誰か名乗っただろうがヨォ！」

「それがどうしたジジイ」ユルキもすでに短剣を握っている。「モウロクしてんのか？　うちの団長フルボッコにしてくれちゃって、生きて帰れるとか思ってんのか？」

「大英雄殺す……」イーナが淡々と弓を構える。「団長の痛みの、一〇〇倍の痛みを与えて……それから殺す……」

「団長は違うと言ったはず。実際、自分たちはマティアス殺しとは無関係だ。にもかかわらず、貴様は団長を半殺しにした。許すと思ったのなら、自分たち《月花》のことを甘く見すぎだ」

マルクスも短剣を握り、いつでも戦えるよう構えていた。

「……団長さんは違います」サルメが言う。「あれだけ殴られても、違うと言っているのだから、違うと思います」

「団長が白と言ったら黒くても白だし」レコが言う。「ボケジジイ。棺桶《かんおけ》に入れバカ」

「テメェら、ガチかコラ？　俺様とやり合うってのか？」

「そうだね」アスラが溜息混じりに言った。「君はサービスタイムが終わる前に帰るべきだった」

「あん？　サービスタイムだと？」

「私はずっと下手に出てあげていただろう？　でも、それも終わりだよ。私らの我慢は限界を超えた。だから動くなアクセル。動いたら殺す。絶対殺す」

◇

こいつらはガチだ。

ガチのマジで、ここでやり合う気だ。

アクセルは《月花》の連中が放つ殺気を感じてそう思った。

だから動かなかった。

戦いになれば、負けはしない。それどころか、自己防衛という大義名分の下、《月花》を皆殺しにできる。

だが。

アクセル自身も無傷とはいかないだろう。

彼らの話は聞いているのだ。

一人一人がかなりの手練《てだ》れで、その上、連携してくる。

更に、ほとんど経験のない対魔法使い戦闘を強いられることになる。

つまり、殺さずに《月花》の連中を倒すことが難しい。

殺してしまったら真相が闇に消える。

「サルメ、ちょっとこい」とアスラ。

サルメは小走りでアスラの元へ。

「疲れたから椅子になってくれ」

「……え？　椅子ですか？　私がですか？」

「そう言ったはずだよ。そこに四つん這《ば》いになって」

「あ、はい」

サルメは言われた通り、床に四つん這いになる。

そのサルメの背中に、アスラはドカッと座って脚を組んだ。

「……す、座り心地はどうですか？」

サルメはおっかなびっくり聞いた。

「うん」アスラはサルメの尻を何度か叩く。「悪くない」

「なぜオレじゃないのか」レコが言う。「オレ、団長の椅子になりたかった」

「……あたしの椅子に、してあげよーか？」

「イーナは嫌。団長がいい」

「……ムカツク……大英雄の前に、レコ射貫きたい……」

彼らはこの空間にいる誰もが沈黙してしまうほどの殺気を放ちながら、気軽にそんな会話をした。

「テメェら、俺様を殺すっつーのが、マティアス殺した証拠になるんじゃネェんか？」

「いやそれはない」アスラが言う。「私らはマティアスを殺してない。その証拠を見せよう。そうだなぁ」

アスラがキョロキョロと周囲を見回して、アーニア王の親衛隊員に目を留める。

「レコ、彼から槍《やり》を貰《もら》ってこい。渡さなければ私が殺すから、きっといい子で渡してくれるはずだ」

「はい団長」

レコは走って親衛隊のところにいって、槍を受け取ってアスラの隣までまた走る。

「槍を真上に向けろレコ」

「はい団長」

レコは素直に言われたことを実行した。

「よく見ろアクセル」アスラは槍の先端を指さした。「私らは君を殺し、君の首をその槍に突き刺して、街を練り歩く。大英雄を殺した傭兵団だ、って宣伝しながらね。私らは大英雄を殺せるだけの能力があるって高らかに宣言しながらね」

そこまで言って、アスラは何かに気付いたように「あぁ」と言った。

「ははっ、君は死んじゃうから証拠を見ることができないな。でも、他の英雄連中には伝わるだろう？　私らがマティアスを殺したのなら、きっとこんな風に宣伝するってことがさぁ」

アスラは笑った。

酷く壊れた笑い方で、アクセルは寒気がした。

本気だ。

このイカレた嬢ちゃんは本気で言っている。

大英雄であるアクセルが、人間を怖いと思った。

東フルセンで最強を自負するアクセルが、一三歳の少女を怖いと感じた。

超自然災害《魔王》を初めて相手にした日のことを、まだ若かったあの時を思い出させるほどの恐怖。

アスラが相手なら戦えば勝てる。勝てるはずなのだ。アクセルの方が強いのだ。きっと圧倒的に強いはずなのだ。

なのに、

なぜ自分の首が槍の先端に突き刺さっているイメージが湧く？

「……テメェ、人間か？」

それさえ疑わしい。最上位の魔物が化けているのではないかとさえ思う。希だがそういうタイプの魔物がいることを知っているから。

「他になんに見える？　私はただの人間さ。なぜか私を見ると怖がる奴が多いけど、私は普通の人間だよ？　まぁ、マトモじゃないのは認める。みんながそう言うから、きっとそうなのだろう」

ククッ、とアスラが笑う。

ああ、とアクセルは気付いた。

この笑い方。

この笑い方だ。

「それはそうと、君が私たちを疑うのもまぁ分かる。状況証拠だけじゃなく、私らは正直、英雄を殺すことなんて屁《へ》とも思ってない。だから当然、殺したことを隠す必要なんてないわけさ。いいか？
私らは、英雄の報復も怖くない。むしろ英雄どもと戦争するのが私は楽しみなぐらいさ」

破壊と殺戮《さつりく》を楽しむ人類の敵――《魔王》が笑った時にそっくりなのだ。

「分かるかい？　私の言葉、理解できたかい？　私らがマティアスを殺したのなら、私らはマティアスを晒《さら》している。私らがやったよ、ってね」
あの、
背筋が凍るような、
悪意に満ちた楽しそうな笑みに。
「アクセル、動かなかった君の判断は素晴らしい。君は私らに勝てない。なぜって？　私らは魔法兵なんだよ。戦った経験ないだろう？　もちろん、一騎打ちしたら私らは誰も君に勝てない。うちで最強のルミアですら、まぁ勝てないかもしれない。だが、ほら、たとえばこの花びら。手に取ってよく見たまえ」
アスラが右手の人差し指を立てると、
花びらが一枚、
ハラハラと舞い落ちた。
「これがなんだってんだ、ああ？」
アクセルは左手で花びらを掴んだ。
瞬間。
アクセルの左手が爆発して、
辺りに真っ赤な血を撒《ま》き散らす。
「ぎゃぁぁぁぁあぁああああ!!」
アクセルがのたうち回る。

「ははははは！　バカか‼　君はバカか‼　いやいや！　悪いね！　ただの花びらにしか見えないよね‼　触っちゃうよね‼　これが魔法兵のやり方だよアクセル‼　君らみたいな、脳みそまで筋肉のバカは簡単に引っかかるから楽しくて仕方ないよ‼」

のたうち回るアクセルを、《月花》のメンバーが囲む。

いつでもアクセルを殺せるように、しっかりと構えた状態で。

二章　八話

私は選択肢を提示するのが好きだ
相手が何を選ぶか知っているから

「さてアクセル。立場は逆転した。完全に。完璧に逆転した。私みたいな美少女を痛めつけて楽しんでいた君は、今や私に痛めつけられる側だ。なぁに、それはそれで、慣れればきっと楽しいぞ？」

アスラはニヤニヤと笑った。

「オレ、団長の笑顔好き」とレコ。

「趣味悪すぎんぞレコ。ありゃ笑顔とは言わねぇ。どす黒くて寒気のする表情、ってな。それと、レコが誰を好きになっても俺には関係ねぇが、団長だけは止めとけ」

ユルキが苦笑いした。

「本当に、団長だけは止めなさいレコ」ルミアが言った。「だいたい、あなたを助けたのもご両親の仇《あだ》を討ったのも、実質わたしでしょう？　どうして団長の方に懐《なつ》くの？」

相変わらずの殺気を放ったまま、いつもの会話をする団員たち。

君らも私に劣らずイカレてるよ、とアスラは思った。

アクセルは左の脇を締めて、なるべく血流を抑えている。

でもそう長くは保《も》たないだろう。

「本題に入ろう」アスラが言うと、団員たちはみんな沈黙した。「簡単な話だアクセル。私には曖味な一線というものが存在している。正直、このまま君を殺してもいいんだ。でもその一線を私は割と大切にしている。だから、君に選択肢をあげるよ」

大切なのは一線そのものではない。

それによって引き起こされるルミアとの決別が嫌なだけ。

まぁ、今回に限っては最初にアクセルを殺すと言い出したのはルミアなのだが。

チラッとルミアを見ると、ルミアはバツが悪そうに顔をしかめた。

それだけ私を愛している、ということか。

大英雄を殺してでも、アスラを守りたいということ。

「その一。このままダラダラと話をして失血死する。大英雄の最期にしては少々マヌケだが、私は別にいい」

「……んなことには、ならネェ……」

「ああ、だろうね。そうだろうとも。その二。戦って死ぬ。これを選ぼうとしているんだよね？　私たちはけっして、大英雄の力を甘く見たりはしない。君ならその状態でも、この状況でも、狙いを定めれば一人は殺せるだろう。いや、やはり二人はいけるかな？　まぁどっちでもいい。どちらにしても、最初に狙うなら私だろう。が、私は第三の選択肢を推奨する」

「……言ってみろ……」

アクセルは右手を床に突いた状態で、しゃがんでいる。

「謝れ。そうすれば生きて帰してやろう。その上、そこのマルクスが魔法で止血するオマケ付きだ。

残念ながら、マルクスの回復魔法は君の手を元に戻せない。解毒系が主だからね。でも、殺菌消毒と止血はできる。あと気持ちばかりの治癒能力の向上か」

「俺様は……まだテメェらがやったと思ってる。テメェらには倫理がネェ。英雄だって嬉々《きき》として殺すってのがハッキリ分かった。それに、英雄を殺すだけの能力があることも」

「それは君自身が証明してしまったね」

「だが同時に、絶対にテメェらじゃネェとも思う……」

「ははっ！　血を流しすぎて意識が朦朧《もうろう》としているのかい⁉　私たちだけど私たちじゃないって⁉　矛盾しているよアクセル！」

「うるせぇ……俺様も、困惑してんだヨォ……。テメェらは、マティアスを殺したらガチで宣伝するだろうぜ……けど、それをしてネェってのは……」

「やってないからだ。私には、他人の手柄を横取りする趣味はない」

「……手柄……だと？　英雄を……大英雄候補だったマティアスを殺したのが……手柄だってのかテメェは……」

ギリッとアクセルが右の拳を握った。

「そうだとも。真犯人を見つけたらぜひ、《月花《つきばな》》に勧誘したいよ。それでどうするアクセル。私の靴にキスしたら、義手を買う金も恵んであげるよ？」

「テメェらじゃネェにしても……テメェらの存在は危険だ……。俺様らはテメェらみたいなのを想定してネェ……」

「だからルールを書き換えるんだろう？　好きにしたまえ。どうせ私は破るし、興味もない。聞いているのはどの選択肢を選ぶか、ってことだよ。まぁ、このままだと失血死が濃厚だがね」

「つーか……俺様が謝罪してこの場を収めたとして……大英雄である俺様をここまで追い込んで、他の英雄たちが……黙ってると思うか？」

「それは君が黙らせろ。君を殺してないんだから、問題ないはずだよ。英雄の手を吹っ飛ばしてはいけない、ってルールを君ら決めてないだろう？　なんなら新ルールに入れたまえ。一般人の皆様、英雄はひ弱なのでどうか傷付けないでください、ってね」

　アスラは楽しげな口調で言った。

「んだとテメェ……」

「私は君らのために言ってるんだよ？」アスラが肩を竦《すく》める。「まぁとにかく、ここで終われなきゃ、あとは戦争だ。私はどっちでもいい。選ぶのは君だよ」

　アクセルは苦々しい表情を浮かべてから言う。

「ちっ……分かった。俺様のケガは、結局のところ俺様の油断が原因だ……。他の英雄連中には恥ずかしいから騒ぐなって言っとくぜ……」

「それがいい」

「けど、テメェらの存在は……色んなもんを、覆しかねネェ……。だから、監視させてもらうぜ……。テメェらの動向を……」

「それは好きにしたまえ。仕事の邪魔さえしなければ、特に監視役に手は出さない」

アスラが言うと、アクセルは一度大きく息を吸う。

そしてゆっくりと吐き出した。

「……悪かったな、嬢ちゃん。テメェらは犯人だが、犯人じゃネェ。悪かった。次は確実な証拠掴《つか》んでから、英雄みんなで殺しに来るぜ」

「よし。許してやろう。その弾け飛んだ左手で痛み分けとしよう。マルクス、止血してやれ」

「はい」

マルクスはすぐに水属性の回復魔法【絆創膏《ばんそうこう》】を使用。

アクセルの失われた左手の先を、少し粘度のある水が包み込む。

ちなみに、【絆創膏】という名前はアスラが考えた。なんかそれっぽかったから、という理由だ。

「ちゃんとした治療を受けろ」マルクスが言う。「英雄特権で、どんな医療行為も最優先かつ無料で受けられるだろう？　それは三〇分もすれば消える。それまでに医者に行け」

マルクスが言い終わると、アクセルを囲んでいた団員たちが三歩後退して、スペースを空ける。

「正直」アクセルが立ち上がる。「俺様はもうテメェらには会いたくネェ」

「それよく言われるよ。じゃあ元気で。いい義手を探しなよ？」

アスラが手を振ると、アクセルは歩いて謁見《えっけん》の間を出た。

その瞬間。

謁見の間にいた人間のほとんどがその場にへたり込んだ。

アーニア王は椅子からずり落ちそうな感じになっていて、肩で息をしている。

「情けない連中ばっかりだなぁ」アスラがその様子を見て言った。「そうだろみんな？」

「俺もビビッたっすわー」とユルキがヘナヘナと座り込む。

「……あたしも、疲れた……」とイーナがパタッと倒れる。

「正直な話、まさか大英雄が来るとは自分も思っていませんでしたので、衝撃でしたね」

マルクスは長く息を吐いて、そのまま座り込んだ。

「はん。うちの連中もか。レコとサルメの方が根性あるんじゃないか？　なぁルミア」

「大英雄を……殺しかけたわ……。脅迫もしたわね……」

ルミアは座っているユルキの肩に両手を置いて、自分を支えていた。

「サルメ、疲れたならオレが椅子代わるけど？」

「大丈夫ですレコ」

「いや、代わるけど？」

「だから大丈夫です。心配いりません。私、まだ戦闘では役に立てないので、せめて椅子ぐらいは」

「代わってください」

「その必要はない」アスラが立ち上がる。「もう帰ろう。今日はゆっくり休んで、明日からしばらく訓練して、それから次の戦場に行こう」

「昨日もその前も訓練したっすよねー。早く固有属性に進化しろっつって、俺の魔力……えっと、MPが〇になるまで魔法の練習したっすよねー」

MPは休めば回復する。

そして回復した時に、最大値が少し増える。そうやって、ＭＰを高めるのだ。

「……あたし、手がもげるぐらい弓の練習した……」

「自分はレコとサルメの筋トレを指導していただけなので、特に疲れてはいません」

「指導だけじゃなくて、一緒にやってたじゃないの、わたしもマルクスも。正直、わたしは最近、筋肉痛が少し遅れてくるのよね……」

「オレ、実は全身筋肉痛」

「私もです」

「応用訓練は死ぬまで続くと言ったはずだが？」

仲間たちの主張に、アスラはそう返答した。

それから、アスラはアーニア王の方へと歩いて行く。

「おお、アスラ、大丈夫なのか？　すまなかった、まさか大英雄があんなことをするとは」

「いいさ若き王。酷《ひど》く痛むし、早く休みたいけど、この程度なら想定内だよ。座り直して」

「ん？」

「座り直せと言ったんだ。情けない姿をいつまで晒《さら》すつもりだい？」

言われてすぐ、アーニア王が玉座に姿勢良く座り直した。

アスラはその膝の上に座る。

そしてアーニア王の顔を両手で摑んで自分の方に引き寄せた。

「いつか、たくさんのお願いをしに来るよ」アスラはアーニア王の耳元で囁《ささや》く。「私はいつか、団を大きくして、傭兵《ようへい》国家のようにする。その時に、色々と君の力を借りたい。だから王でいろ。約束だ。病気もケガも失脚もなし。いいね？」

「うむ。心得た」

「お、王から離れろ！」

親衛隊長の男が上ずった声で言った。

アクセルとアスラのやり取りを見たあとで、アスラに向かってそれが言えただけでも素晴らしいことだ。

「震えるな。これからもしっかりと王を守れ」

アスラはアーニア王の膝から降りて、みんなのところへと歩く。

「さよならのキスでもしたんっすか？」

「憐《あわ》れなアーニア王……団長に目を付けられるとは……」

ユルキが普通に聞いて、マルクスは小さく首を振った。

「ダメよアスラ、わたしの認めた男じゃないと許さないわ」

「君ら、勘違いするな。私は男には興味がない。少し話をしただけだ。さぁ、帰るよ」

アスラは右手で仲間たちに立てと指示した。

◇

アーニア城を出て、アスラたちは宿へと向かう道の途中。

「あの……」とサルメが申し訳なさそうに言った。

「なんだい？　椅子になるのが病みつきになったというなら、それは悪かった。でもそういう趣味だとしても私は責めないし、ここにいる連中は全員イカレてるから気にするな」

マルクスがアスラを背負っている。

アスラがサルメを椅子にしたのは、何もサルメをいじめていたわけではない。

本当に酷くダメージを負っていたのだ。それでも、謁見の間を出るまでは自分の足で歩いた。

「違います。椅子の話じゃなくて……」

「今のは冗談だサルメ。乗ってくれないと寂しいじゃないか。冗談は傭兵に必要な素質だよ？」

「俺らは明るい傭兵団ってか」

ユルキが両手を広げた。

「えっと、あの、団長さんは、英雄を殺さなかったんですよね？」

「いや殺したよ」

「え？」

「だから殺したよ？　こう……」アスラがマルクスの背中で、小さく弓を構えるジェスチャをする。

「バシュって感じで」

「こ、殺してたんですか……？」

「おかしいな？　私は確かに殺すと言ったはずだが？」

何を今更。

「てっきり私、本当にやってないのかと……。誰もその話、しませんでしたし……」

「みんな俳優になれるだろう?」

「え? 俳優ですか?」

「いや、詐欺師かな? 酷い嘘吐《うそつ》きどもだろう? だが、とりあえずその話は終わりだサルメ。もう二度とするな。まだ監視は付いていないが、すぐだろう」

「あ、はい」

サルメは少し戸惑っている様子だった。

「団長の本性が分かって良かったわね」ルミアが言う。「わたしたちはね、嘘《うそ》を吐かなければいけない状況に追い込まれただけよ。詐欺師は団長だけ」

「団長はそういう人間だ。ずっとそうだった。これからもそうだろう」とマルクス。

「団長カッコよかった」とレコ。

それからしばらく、時間にして二〇秒程度、アスラたちは進んだ。

そうすると、
アスラたちの前を憲兵たちが塞いだ。

「なんの用かしら?」

全員立ち止まって、ルミアが憲兵たちに質問した。

憲兵の数は全部で一七人。かなり多い。

その中の一人が前に出る。

「傭兵団《月花》？」

その一人は三〇歳前後の女性で、海みたいな青色の髪だった。

彼女は制服の色が他の憲兵と違っている。

彼女以外の憲兵は青い制服で、彼女は白。

髪の色とかぶるから、というわけではないはず。

しかし、それよりも珍しい装備が彼女の顔にあった。

「君、メガネをかけているね。それ高価だろう？」

この世界には望遠鏡の技術があって、メガネの技術もある。だがまだ値段が高い。

「ええ。お給料はいいので。アスラ・リョナさん」

「おいおい、私を知っているなら、どうして《月花》かどうか聞いた？」

「一応。形式上」彼女は小さく肩を竦めた。「それより同行願えますか？」

「なんの用かとわたしが質問したのは完全に無視するのね？」

ルミアが少しだけ寂しそうに言った。

「すみません。ルミア・カナールさん。《月花》の副長ですね。みなさんのことは当然知っています。

みなさんの活躍があったからこそ、我がアーニア王国はテルバエ大王国を退けることができました。

その点には感謝しています」

「あー、あれだね」アスラが笑う。「でも？　しかし？　けれど？　って続くんだろう？」

「その通りです。アスラ・リョナさん。けれど、しかし、でも、この件はそれらとは関係ありません。わたくしたち憲兵団は、戦争とはあまり関係のない組織なので」

「そりゃそうだね。君たちは捜査機関だろう？　主な仕事は犯罪者の逮捕。英雄なら殺してないよ。さっきそれを証明して来たところさ」

「ではウーノ・ハッシネンの件はどうです？　ご同行願えますか？」

ウーノの名前が出たことで、サルメがビクッと身を竦めた。

知っていますと言ったに等しい。

まぁ、それを責める気はない。サルメはまだそこらの少女と大きく変わらない。

「サルメ・ティッカさんですね。一三歳の時に娼館《しょうかん》に売られ、最近ウーノに買われたはずですが、なぜか今は傭兵団《月花》と一緒にいますね」

憲兵の彼女は爽やかな笑顔でそう言った。

「どうすんっすか団長？　やるっすか？　俺、昔から憲兵とは相性悪いんっすよね」

「あたしも……憲兵は嫌い……皆殺し？」

ユルキとイーナはやる気だが、まだ武器は構えていない。

「いや。やめておけ。私はアーニア王国とは円満なお別れをしたい。同行しよう。ただし、私を治療しろ。それが条件だよ」

「分かりました。それでみなさんが友好的に同行してくれるなら、わたくしとしても飲まない理由はありませんので」

憲兵の彼女は再び爽やかに笑った。
たぶん、とアスラは思う。
こいつは本当に善人なのだろうなぁ、と。

三章　一話
私に頼みたいことがあるって？　ならばまずは、お願いしますだろう？

治療を済ませたアスラは、憲兵団本部の団長室に足を運んだ。

団長室はそこそこ広く、思ったより快適そうな空間だった。

左手の棚にはいくつかの賞状が立てかけられていて、右手の壁には歴代団長の肖像画が飾られている。

「アスラ・リョナさん。どうぞ座ってください」

執務机に座っている憲兵団団長のシルシィ・ヘルミサロが微笑む。

海のように青い髪と、白い制服。そしてメガネ。

シルシィとはすでに自己紹介を済ませている。

ちなみに、他の《月花《つきばな》》団員は別室で待機している。

執務机を挟んだシルシィの対面の椅子に、アスラは腰を下ろす。

「アスラでいい。シルシィ、君はいくつだい？」

「今年で三一になります。今はまだ三〇ですよ？　アスラさんは一三歳でしたよね？」

「その通り。一四になるのはまだ先のことだね。それで、いつから団長を？」

「二年前からですが、わたくしは尋問されているのですか？」

「いや。世間話だ。今日はいい天気だね、と同じ。そっちの方が良かったかい？」

「そうですか」シルシィは一度小さく溜息《ためいき》を吐いた。「本題に入っても？」

「その前に、なぜ私の装備を取り上げた？」

アスラはいつものローブを着ているが、その下の短剣一式は憲兵たちに持って行かれた。

今のアスラは完全に丸腰の状態だ。

「念のためです。あとで返却しますのでご安心を。本題に入っても？」

シルシィの毅然《きぜん》とした態度に、アスラは小さく息を吐いた。

「ご自由に。ウーノ・ハッシネンなら殺したよ」

アスラは明け透けに言った。

現時点で、隠す意味がない。理由は二つ。

一つは、憲兵団はすでに証拠を摑《つか》んでいる。だからアスラたちを連行したのだ。

二つ目。ウーノは英雄でもなんでもない。一応、死体は処理させたが、別にバレても大きな問題にはならない。

今なら、どうにでもできるのだ。

なんでも言うことを聞いてくれる若き王がいるのだから。

「……そうですか」シルシィは面食らったように言う。「あ、いえ、分かっていましたけれど。死体を埋めた場所も、発見しましたし、証言も取れていますし……」

酒場の店主と店員が喋《しゃべ》ったのだとすぐ分かった。

まぁ、もう彼らと関わるつもりもないので、報復には行かない。

店主は一般人だし、店員もウーノに情報を流しただけの一般人だ。彼らを殺せば、ルミアは怒る。

ルミアはクズには冷徹になれるが、それでも極力殺さない方がいいと考えている。

「で？　私たちは逮捕かね？」

「そうですね。はい。一応、そうさせてもらいますが……」

「でも？　しかし？　条件次第で？」

「……なぜアスラさんは先読みするのですか？」

「何か頼みたいことがあるんだろう？　そう思った。いや、そうであって欲しかったのかな？　だってそうでなければ、君らを討ち倒さなければいけないだろう？」

ククッとアスラが笑う。

シルシィがビクッと身を竦《すく》めた。

まぁ、倒すと言っても殺すわけじゃない。アーニア王にお願いして免責してもらうだけの話。

取引を有利に進めるための脅しみたいなものだ。

シルシィは唾を飲み、呼吸を整えて平常心を取り戻す。

「わたくしたちは、ウーノ・ハッシネンの背後の組織を探っていました」

「ほう。あいつにバックがいるとはね。ただのカスだと思っていたよ」

「そのために潜入捜査を進めていましたが、アスラさんたちが殺してしまいました。うちの捜査兵を」

シルシィの声に、怒りが滲《にじ》む。

捜査を邪魔された怒りと、仲間を殺された怒り。

「憲兵は三人殺したけど、その中の一人かな？　悪いね。潜入捜査中だとは知らなかった。お悔《く》やみを」

「心にもないことをっ……」

シルシィの表情が悔しそうに歪《ゆが》んだ。

「ああ、もちろんない。憲兵だろうが何だろうが、敵は敵だよ。君も私の敵になるかね？　怒りに任せて？　それは利口とは言えない。取引内容を言いたまえ。内容によっては受けてあげるよ」

「……国内で、あなたたちは人気があります……。そしてウーノは有名な悪人……。あなたたちは犯罪者ですが、断罪したらわたくしたちの方が悪にされる危険もあります……」

「世論が怖いかね？」

「ええ。わたくしたち捜査機関には、市民の非難の矛先が向けられやすいですから」

そういえば、とアスラは思い出す。

前世でも警察は嫌われていたなぁ、と。

もちろんアスラも嫌いだった。

みんな警察に頼るのに嫌うという面白い構図だった。

ちなみに、アスラは警察に頼ったことはない。

「で？　私に何をして欲しい？」

「犯罪組織のアーニア支部の場所と、リトルゴッドと呼ばれる者の特定」

「どういった犯罪組織なのかな?」

「麻薬が主ですが、恐喝、暴行、盗み、殺人、だいたいなんでもやります。国際的な組織で、フルセンマーク大地全体に根を張っていて、頂点に立つ者のことをゴッドと呼びます」

「麻薬カルテル……いや、マフィアかな? フルセンマーク・マフィア、ってとこかな。その支部か何かがアーニアにあると?」

とあるマフィア映画を思い出しながら、アスラは言った。

「マフィアとはなんですか?」

「……犯罪組織の代名詞だよ」

「なるほど。初めて聞きましたが、フルセンマーク・マフィアというのは呼称としてはいいですね。採用します。略称はフルマフィでしょうか」

「採用どうも」

アスラは小さく肩を竦めた。

「相手はかなり危険な連中です。兵士と違い、汚い手を平気で使うような連中です。しかし、アジトとリトルゴッド……支部長のことですが、彼か彼女を見つけてくれれば、あなたたちがアーニア国内で犯した罪は全て免責します」

「断る」

「そうですか、ではまず……え?」

シルシィは目を丸くした。

「第一に、なぜ私たちに頼む？　第二に、免責なら王に出してもらう。出せるはずだよね？　議会の承認はいるけれど」

「……えっと……その、《月花》の能力の高さを買ったのですが……。それに、あなたたちが捜査を台無しにしたので、免責の代わりに捜査の続きを請け負ってもらうというのは、そんなに変でしょうか？」

「変ではないよ。君ら実は、何人か殺されてるね？　もしくは警告を受けてビビッた？」

アスラが言うと、シルシィは唇を嚙《か》んだ。

「そうか、そういうことか。フルマフィの連中にいいようにやられてるんだね？　打つ手なし？　で、藁《わら》にも縋《すが》るように私たちに縋った？　違うかい？」

アスラはとっても楽しそうに言った。

憲兵団の手に余るのだ、フルマフィは。

だから、傭兵《ようへい》に頼んでいるのだ。

アスラの推測だが、大筋は間違っていないはず。

「潜入捜査は、最後の頼みだったのです……それをあなたたちが……」

「あー、悪い悪い。ごめんごめん。ははっ！　素直に助けてくださいと言いなよ？　偉そうに免責とか言わずにさぁ。お願いしますでもいいよ？　そしたら考えてあげるよ？」

訓練という意味では、悪くない依頼なのだ。

情報収集はもちろんのこと、戦闘もあるだろう。

ただ、シルシィの態度が気に入らないだけ。

「わたくしたちは、あなたたちを逮捕することも……」

「やってみろ」

アスラは急に冷えた声を出した。

「言っておくが、私たちと敵対したら、フルマフィの比じゃないよ？　そっちの死人の数のことだけど。明日から誰がこの国の治安を守る？　ん？　私は円満に国を去りたい。だから、普通にお願いしたまえ。そして現金を提示しろ」

しばらく沈黙。

アスラはシルシィの決断を待った。

「……免責と一万ドーラ」とシルシィが言った。「それと、ユルキ・クーセラとイーナ・クーセラを手配書リストから削除します。アーニア国内だけですが……」

「おや？　あいつら手配されているのかい？」

「……知らないのですか？」シルシィの表情が引きつった。「ユルキの方は、手配書リストのトップ一〇に入る大物ですよ？　名前は知りませんでしたが、ちょっと待ってください」

シルシィは執務机の引き出しから、本型の手配書を出してペラペラと捲《めく》った。

「これです。これ、ユルキ・クーセラですよね？」

シルシィが手配書を左手で持ち、アスラの方に向ける。

それから右手で似顔絵を指さした。

「おー、そっくりだね、てゆーか、ユルキだね」

似顔絵の下に『盗賊団・自由の札束・四代目カシラ・本名不明』と書かれている。

「し、知らずに行動を共にしていたのですか……？」

シルシィは呆《あき》れ口調で言ったあと、手配書を閉じて机の上に置いた。

「盗賊だったのは知っている。でもそんなこと、私には些細《ささい》なことだよ」

「『自由の札束』ですよ⁉　超有名盗賊団ですよ⁉　一年ほど前に、突然解散しましたけれど！　それでも手配が消えたわけじゃありません！」

「解散じゃなくて壊滅」

「……え？」

「私とルミアがピクニックのついでに潰したんだよ。そこでユルキとイーナを仲間にした。二人とも魔法が使えたし、戦闘能力も高いし、私の部下にいいと思ってね」

アスラが笑いながら言うと、シルシィは言葉を失ってしまう。

「まぁいいや。それで？　アジトとリトルゴッドを見つけるだけかね？　見つけたあとは？」

「あ、はい。そのあとは蒼空《そうくう》騎士団に救援依頼を出して、我々で踏み込みます」

「はん！　蒼空騎士団だって⁉　ははっ！　彼らの理念は尊敬するよ⁉　特定の国に所属せず、助けを求める声あれば駆けつける、だろ⁉」

「……何か問題ですか？　マルクス・レドフォードと関係が？」

「いや、ない。蒼空騎士団は組織だ。出資者が何人もいるが、それでも騎士団を維持するには金が足りない。だから有料だろ？　彼らの救援は。いくらだい？」

「一小隊で三万ドーラですが？」

「ではそれを寄越せ。私たちが潰してあげるよ！　免責と三万ドーラ、それからユルキとイーナの手配書を国内限定だが削除。ぶっちゃけ、あいつらは気にしてないだろうけどね！」

アスラも全然、気にしていない。

ただ、削除してくれるなら、それはそれでいい。

「とにかく、フルマフィのアーニア支部を見つけて、潰してあげようじゃないか！　私らと蒼空の連中に分割して頼むよりお得だろう？」

落としどころとしては、申し分ない。団員たちもこの条件なら文句を言わないはず。

あとは、

「……潰すって、戦場で戦うのとは違いますよ？　相手は根っからの犯罪者たちで……」

「私らも似たようなものだ。心配しなくても皆殺しにしておくよ。二度とアーニアで犯罪組織を作ろうなんて思えないようにね。それでいいだろう？」

「……できるのなら、はい、お願いします」

「そう、それだ。お願いします。それが聞きたかった。請けよう」

シルシィのお願いします。

これで決まり。

「シルシィ団長、失礼します！」

憲兵が一人、団長室に入ってきた。

アスラは身体を反らして、そいつの顔を確認。

「どうしました？　今は少し忙しいのですが？」

シルシィがメガネを右手で直した。

アスラは憲兵の表情を見て、何かおかしいと感じた。

「すぐ済みます団長。リトルゴッドから伝言です。諦めろ。これは何度目の警告だ？」

憲兵がナイフを投げた。

シルシィは反応できていない。

「ちっ」

アスラは武器を何も持っていない。

だから、飛来するナイフに左手を伸ばした。

アスラの掌にナイフが刺さる。

刺さった瞬間に、毒が塗られていると理解。

ルミアなら上手に柄《つか》を摑んだかかな？　なんてことを考えた。

しかし、座った状態でシルシィを守れただけでも、よしとする。

交渉がまとまった瞬間に依頼主に死なれてはたまったものじゃない。

「何者です！」

シルシィが立ち上がって剣を抜く。

憲兵――いや、憲兵に扮《ふん》したアサシンか。彼が二本目のナイフを投げる。

アスラは右手の指をパチンと弾く。

アサシンの頭と両肩が爆発。

周囲に血肉を撒《ま》き散らす。

花魔法【地雷】を使ったのだ。

シルシィがナイフを剣で叩《たた》き落とした。

「アスラさん⁉　ありがとうございます！　平気ですか⁉」

平気なわけがない。

これはまずい。

毒を喰《く》らったのが最悪。

即効性か、意識が混濁しそうになる。

だが、まだ意識を失うわけにはいかない。

アスラは立ち上がって、大きく息を吸う。

「マァーールクゥーーース‼」

アスラは腹の底から絶叫するようにマルクスを呼んだ。

その声量に、シルシィが酷《ひど》く驚いていた。

「マルクスが来たら、私は毒を受けたと言え。それから、依頼のことはルミアに話せ。依頼達成のために最善を尽くすよう伝えてくれ。少し眠る」
それだけ言って、
アスラの意識はプツリと途切れた。

三章　二話

君らを誇りに思うよ　ゴミという意味じゃない、本当さ

傭兵《ようへい》団《月花《つきばな》》のメンバーは、アスラ以外は全員が憲兵団本部の応接室のような場所に通されていた。

ルミアはソファに座ってくつろいでいる。

レコはルミアの隣に座って、そのままコテンと倒れてルミアの膝に頭を乗せた。

ルミアは猫を撫《な》でるみたいにレコの頭を撫で始める。

マルクスは壁にもたれて立ち、腕を組んで目を瞑《つむ》った。

イーナは部屋中を徘徊《はいかい》し、色々と物色している。

ユルキはルミアの対面のソファに腰を下ろして、背伸びをした。

サルメはそんな様子を見ながら、戸惑っていた。

「あ、あの、みなさん……あの、外から鍵をかけられたみたいなのですが……」

憲兵たちは、みんなの装備を没収し、この部屋に通し、更に鍵をかけた。

逮捕する気満々なのではないか、とサルメは少し不安になっている。

「三秒で開けられるぜ、そのぐらいなら」

「……あたし四秒……」

ユルキは肩を竦《すく》め、イーナは棚の引き出しを開けて中を見ながら言った。

「わたしはピッキングが苦手で、一〇秒ギリギリね」

「自分も八秒ほどですね」

ルミアが苦笑いして、マルクスは目を瞑ったまま言った。

「え？　みなさん鍵開けできるんですか？」

サルメはとっても驚いた。

「俺とイーナは最初からできるぜ？　元々、俺ら盗賊だしな」

「わたしたちはアスラに教わったのよ。サルメもそのうち練習させられるわよ？　アスラの指定する最大時間は一〇秒。苦労したわ、わたし」

「……本当になんでもやるんですね……」

傭兵団《月花》はスキルの宝庫のよう。

「しかし」マルクスが目を開けてサルメを見る。「そのドアなら蹴破った方が早い」

「は、はぁ……」

私はどっちも無理です、とサルメはドアを見ながら思った。

「立ってねぇで座れよサルメ」ユルキがソファをバンバンと叩《たた》いた。「ゆっくりしようや」

サルメは言われた通り、ユルキの隣に座った。

「えっと……団長さんだけ別室に連れて行かれましたけど……大丈夫でしょうか？」

アスラの治療にはみんな立ち会ったのだが、その後はアスラだけが別室に案内された。

「心配すんなサルメ。団長は見境なく暴れたりしねぇよ。いつも冷静で腹立つぐらいさ」

「……そう。取り乱したとこ見たことない」

「それに団長は円満なお別れを望んだ。騒ぎは起こさないだろう。安心していい」

「そうね。よほどのことがない限り、大人しくしているでしょうね。だから心配は無用よサルメ。くつろいでいいわ」

「……えっと、そういう意味ではなくて……団長さんが、大丈夫かなって……。暴れるとかじゃなくて、団長さんが尋問とかされてないか、って意味でして……」

サルメはアスラを心配したのだ。アスラが暴れることを心配したわけじゃない。

「アクセル様とアスラのやり取り見てたでしょ？　アスラに尋問なんか通じないわ。拷問もね」

「ついでに言うと、俺らにもな」

拷問に耐える訓練がそのうちある、ということをサルメは聞いている。

痛いのは嫌いだし、その訓練はとっても不安だ。

「……あたし、一度でいいから団長、泣かせたい……。何しても団長は泣かない……それどころか、ヌルい、って言われる……」

傭兵団《月花》の団員は、拷問を施す訓練も受けるのだ。

みんな一度はアスラに拷問しているのだが、拷問している方が引いてしまうほど、アスラは拷問されることを楽しむとみんなが言っていた。

確かに、アクセルとのやり取りも楽しそうに見えた。

普通、大英雄にあれだけ殴られたら泣きながら自白する。サルメだったらそうする。

「団長が泣いているところは見たことないな。副長はどうです？」

「そうねぇ、ないわねぇ。あの子、初めて出会った三歳の頃からあんなだったわよ」

ルミアが肩を竦める。

「恐ろしい三歳児っすね」

「ええ。わたしに対して、『敵じゃないなら私を育てたまえ。見ての通り、大人はみんな死んでしまった。私はまだ幼いから、一人では不都合が多い。だから君が育てろ』って言ったのよ？　一〇年経ってるから、ちょっと違うかもしれないけれど、そういう感じだったわ」

「……そんな三歳児、嫌すぎる……」

イーナは少しだけ表情を引きつらせてから、マルクスの隣にもたれて座った。

「まぁでも、アスラに会えて良かったと思ってるわ」

ルミアが優しい表情になる。

「自分もです。魔法兵という生き方は自分にとっては最高のものです。自分にとって、憧れの存在はジャンヌ・オータン・ララとアスラ・リョナですね」

「わぁお。世界最高の魔法戦士と、うちの団長を同列に語ったぜ」

「……歴史上、英雄の称号を剝奪された唯一の英雄……」

ジャンヌ・オータン・ララを知らない者などこの世にいない。

「今そいつ何してんのかな？　死刑執行前に逃げたんだよね？」レコが言う。「おとぎ話の存在だよ、オレにとっては」

一五歳で英雄になり、一六歳で《魔王討伐》を経験。

一七歳で祖国を独立させ、一八歳で英雄の称号を剝奪され、死刑判決を受けた。

数奇な運命を辿《たど》った史上最強の英雄。もし生きていれば、そして鍛錬を続けていれば、たぶん誰の手も届かないような存在になっているはず。

「さぁ。大虐殺のあと、完全に姿を消したわね」ルミアが言う。「噂《うわさ》でしかないけれど、犯罪組織を作って完全に裏の世界で活動しているという話もあるわね」

「ジャンヌは公開処刑場にいた全ての人間を殺し、逃げる時に近隣の村々で略奪を行ったとされている」マルクスが言う。「それがのちに、大虐殺と呼ばれるようになった」

「副長さんは、中央の出身ですよね？　年齢的にも、ジャンヌ見たことあります？」

憧れと畏怖。

輝かしい戦績と、奈落の底に突き落とされた経験を持つジャンヌ。

彼女は中央フルセンの出身だ。

「わたしも世代だから、一応ね」

「もしかして副長、軍属だったって、ジャンヌの軍だったとかっすか⁉」

「……それなら、副長が強いの納得……」

ジャンヌの軍——《宣誓の旅団》は当時、勝利の代名詞だった。

ジャンヌのカリスマ性や神性が高すぎて、他の者の名は一切有名にならなかった。

それでも、全員がかなりの手練《てだ》れだったという噂だ。

「中央にいた頃のことはまだ話したくないわね。いずれ、ね」

「では仕方ありませんな」マルクスが言う。「自分はジャンヌマニアですので、話してくれる日を楽しみにしています」

みんなそれぞれ、深い過去を持っている、とサルメは思った。

ユルキとイーナは盗賊で、マルクスは騎士団。ルミアはもしかしたら、《宣誓の旅団》のメンバー。

それに比べて私は。

酒飲みの父親に殴られて育ち、惨めな思いをしながらも父を庇《かば》っていたけれど、最後は借金のカタに娼館《しょうかん》に売り飛ばされた。

なんでもない。何者でもない。

ポンッ、とユルキがサルメの頭に手を置いた。

そして唐突にグシャグシャと撫で始める。

「な、何するんですか？」

「いや、なんか急に暗くなったからよぉ。俺らは愉快な傭兵団だぜ？　人生を楽しめよ」

「どうかしたの？」ルミアが首を傾げた。「大虐殺の被害者なの？」

「いえ、違います。私は生まれも育ちもアーニアです。ただちょっと、私、みんなに比べて何もないなって思って……」

「俺らも別に、何もねーよ」

「自分もそうだ。あるのは《月花》に所属する魔法兵という誇りだけだ」

「……サルメはちょっと、卑屈すぎる……。レコを見習うといい。ただの村人なのに、堂々としてる……」

「そうだテメェ」ユルキが言う。「何気に副長の膝枕とかマジで蹴り入れるぞ？　ちょっと場所代われテメェ」

「自分も代わって欲しいが？」

「……あたし、膝枕しよーか？」

イーナはちょっとウキウキした様子で言った。

膝枕をしてみたいのかもしれない、とサルメは思った。

「いや、イーナはいいや」

「自分もイーナは別に」

「……ムカツク……いたずらしてやるから……」

「あ、私、イーナさんに膝枕して欲しいなー、なんて……」

あはは、とサルメが仲裁に入る。

「仕方ない。……特別だから」

イーナがユルキを押し退けてソファに座る。

それから自分の膝をパンパンと叩いた。

サルメはおっかなびっくり、イーナの膝に頭を乗せた。

その瞬間だった。
「マァーールクゥーーース!!」
それはまるで絶叫。
すさまじい声量。
ただごとではないと誰でも理解できる。
サルメが顔を上げた時には、すでにマルクスがドアを蹴破っていた。
秒単位で団員たちが部屋を駆け出る。
最後にサルメとレコが顔を見合わせて、それから二人も走ってみんなのあとを追った。

◇

アスラが目を覚ますと、そこは清潔で広い部屋だった。
ベッドの隣の窓から、温かな光が差し込んでいる。
ゆっくりと身体を起こした時、アスラは自分が全裸だと気付いた。
枕元に水の入った桶《おけ》と手拭い。
誰かが身体を拭いてくれたのだと理解。
「団長、起きましたか」
床で腕立て伏せをしていたマルクスが立ち上がる。

マルクスの隣では、サルメとレコも腕立てをしていたのだが、二人とも腕立てを中断して立ち上がった。

「おや？　君は誰かね？　そして私は誰だね？」

アスラは言いながら、左手を見る。

傷はすでに塞がっている。

毒も完全に抜けているようだ。

マルクスが解毒し、ルミアが傷を癒したのだと分かる。

「その冗談は笑えませんね」

「そうかい？　定番のネタだと思ったんだけどね」

アスラが肩を竦める。

「団長!!」

レコがすごい勢いでアスラに抱き付いた。

「おい、私は病み上がりだよ？　力一杯突進してくるな」

「くんくん、少し汗臭い団長興奮する」

「おいマルクス、このエロガキをなんとかしろ」

アスラが言うと、マルクスはレコの首根っこを片手で摑《つか》み、そのままレコを後方に放り投げた。

レコは床に落ちる時、ちゃんと受け身を取った。

それを見て、そろそろ近接戦闘術を教えてやろうかな、とアスラは思った。

魔法に関しては、毎日少しずつ練習させている。習得に時間がかかるので、コツコツやらせているのだ。

「団長さん、すごい高熱で、すごく熱くて、その、すごく……」

サルメはオロオロと心配そうに言った。

「落ち着きたまえサルメ。私は平気だよ。マルクス、状況説明を頼む」

「はい。まずここは貿易都市ニールタの宿です」

「なぜ貿易都市に移動した？」

「例の犯罪組織、フルマフィでしたか？　連中のアジトはこっちにあるようです。そこまでは憲兵が摑んでいましたので、我々は団長を治療しながらすぐに移動しました」マルクスはチラッと視線をアスラから外す。「サルメとレコはトレーニングを続けていろ。ボヤッとしていると鉄拳だぞ？」

サルメとレコが慌てて腕立てを再開する。

「他の連中は？」

「情報収集に出ています。ちなみにですが、団長は丸二日ほど眠っていました」

「どうりでよく寝たような気がするわけだね。アサシンについては何か分かったかね？」

「ユルキの話では、あのアサシンはアサシン同盟の者で、フルマフィと直接関係はないと思う、とのことです」

「雇われただけ、か」

「はい。しかも殺しが目的ではなかったようです。アサシン同盟は警告的な依頼も請けるようですね。

ナイフの毒は致死性のものではありません。高熱にうなされますが、適切な治療で助かります」

「シルシィについては？」

「副長の判断で、二四時間の警護を付け、なるべく出歩かないようにと話を付けました。依頼主に死なれては、報酬が受け取れませんからね」

「完璧だマルクス」アスラが両手を叩く。「素晴らしい。君らを誇りに思うよ」

「最善を尽くせという命令だったかと」

「ああ。そうだね。とにかくよくやった。ここまでは完璧だよ」

「そうですね。これからは、どう動きます？」

マルクスは入り口に身体を向けた。

サルメとレコが腕立てを止めて、アスラのベッドに乗った。

そのまま二人ともアスラの背中に隠れるように移動した。

「入ってくるだろうから、何もするな。クソ、アホみたいに闘気を放ちやがって。もっと普通に訪問できないものかね？」

サルメとレコでさえ、察知できるほどの闘気。

本来の自分の能力を十全に発揮するためには、闘気を巡らせる必要がある。

英雄になった人間は、まず闘気の扱いを教わる。

別に秘密の技というわけでもないので、センスのある奴は自然に使うようになる。

闘気は入り口のすぐ向こうから放たれている。

ゆっくりと、ドアが開く。

「邪魔するぜ、嬢ちゃん」

大英雄、アクセル・エーンルートが部屋に入ってくる。

「闘気を抑えろアクセル。君の闘気は荒々しい。私は闘気の効果を知っているから別に怖いとも思わないが、うちの子らがビビッてる」

「そりゃすまネェな。けど、テメェに会うとなると、どうしてもな」

アクセルが手首までしかない左手を上げる。

その手首には包帯が巻かれている。

「そうかい。いいから闘気を使うな」

「ふん。いつかテメェを闘気使った状態でぶち殴ってみてぇな」

言いながら、アクセルが闘気を仕舞う。

「君の全力の一撃に、私の幼い身体が耐えられるといいがね」

アスラが両手を広げた。

謁見《えっけん》の間でアスラを殴った時、アクセルは闘気を仕舞っていた。登場した時に脅しのような意味合いで放っただけだ。

「それはそうと、さっさと義手を探せ。きっとカッコイイのがあるはずだよ」

「ああ、今作らせてんだヨォ。それより、話したいことがあんだけどヨォ」

アクセルは室内を見回す。

「ま、全員揃《そろ》うまで待つとするか」

アクセルはドカッと床に座る。

「つーか嬢ちゃん、寝る時は全裸派か？　俺様もだ」

「不要な情報をどーも」アスラが肩を竦める。「私は高熱が出ていただけで、普段はシャツと下着で寝る」

三章　三話

過去は過去、過ぎて去ったもの　けれど、たまに思い出して絶望するの

「愛しの我が家に帰ったら、堂々と熊が座ってた時ってどんな反応すりゃいいんだ？」

「……ユルキ兄、熊なら殺せばいいし、むしろ熊の方がマシ……」

「なぜ友達感覚で座っているのかしら？　和やかな雰囲気でお茶まで飲んでいる理由は？」

宿に戻ったユルキ、イーナ、ルミアがそれぞれの感想を零《こぼ》した。

「まぁそう邪険にすんな」アクセルが笑う。「茶はそっちの嬢ちゃんが淹《い》れてくれたんだヨォ」

「あ、えっと……大英雄様ですし……失礼がないように、その……お茶を……」

サルメがビクビクしながら言った。

「ふん。私がお茶を出してやれと言ったんだよ。ってゆーか、サルメはそんなに怯《おび》えなくていい」

アスラがやれやれと両手を広げた。

アスラはもう服を着て、ベッドに腰掛けている。

アスラの隣にレコが座っていて、マルクスは壁にもたれて立っていた。

「それでアクセル様、どんな用なの？」

ルミアは椅子に座りながら言った。

イーナとユルキは立ったまま。

「おう。テメェらが犯罪組織潰すって聞いてヨォ。潰す前に幹部とっ捕まえてヨォ、情報仕入れて、俺様にも流せや、な？」

「なぜ大英雄が犯罪組織に興味を持つのかしら？」

「姉ちゃん、口調に棘《とげ》があるぜ？」

「アクセル様がアスラを半殺しにしたからじゃないかしら」

「俺様は謝ったし、この左手で手打ちだろ？」

「その通り」アスラが言う。「引きずるなルミア。それで？　なぜ興味を持つ？　あと、君は情報が早いね」

「テメェらの動向はずっと監視させてもらう。未来永劫《みらいえいごう》、ずっとだ。が、まぁそれはいい」アクセルが言う。「その犯罪組織がヨォ、人類の脅威なんじゃャネェかって、英雄の間で意見が割れててヨォ」

「なるほどね」ルミアが言う。「巨大な組織犯罪は人類にとって害だと言い出す若い子がいたのね？」

「なんで若いって分かったんだ姉ちゃん」

「そういうのって若者の特権でしょ？　英雄になったばかりの、真っ直ぐで正義感の強い若者ってとこでしょ？」

「そんなとこだ」アクセルが肩を竦《すく》めた。「んでな？　相手が人間だってんで、俺様ら英雄も意見割れてんだけどヨォ。……噂《うわさ》、知ってるか？」

「噂？　なんの？」とアスラ。

「その犯罪組織の頂点はゴッドって呼ばれてんだがヨォ。そのゴッドの名前がな、ジャンヌ・オータン・ララ、って噂だ。もしそれが事実なら、俺様らが動くって話で決着したんだ」

「ほう。ジャンヌ・オータン・ララね」アスラが少し笑った。「そりゃすごい。歴史上、最速で英雄になって、更にその称号を剝奪された最強の英雄、だったかな？」

「ジャンヌの最速記録はヨォ、この前破られたぜ？」

「そうかい。まぁ、記録ってのはそういうものだね。それで、君らは一〇年経ってもジャンヌを探し続けているわけかい？」

「そりゃな。あいつは今や、英雄の汚点だ。一般的にそういう扱いだろ？」

「君は違うのかいアクセル？」

「ふん。心情的にはな」アクセルが肩を竦めた。「つーか、俺様らだけじゃネェ。各国の憲兵も探してる。未だにあいつが手配書リストのトップに君臨してんだ。いい加減、色々清算しなきゃならネェだろ？」

「清算ね。まぁ好きにしたまえ。我々にはあまり関係ない。請けた依頼はあくまでアーニア支部の壊滅だからね。情報があれば回してあげるよ」

「そりゃ助かるぜ」

アクセルが右手を広げて笑う。

「大英雄アクセル」マルクスが少し興奮した様子で言う。「ジャンヌを見たことが？　どんな容姿だった？」

「そりゃあるだろうぜ。《魔王》討伐でご一緒したからヨォ。綺麗《きれい》な姉ちゃんでヨォ。真っ直ぐな目だったぜ?」アクセルは視線をルミアに移す。「そうだなぁ、成長してたら、ちょうどそっちの姉ちゃんみたいな感じになってんじゃネェか?」

「それは光栄ね」とルミア。

「ま、でも姉ちゃんはジャンヌじゃネェ。似てるが違う。ジャンヌみてぇな神性がネェ。神の性質、ってやつだ。つーか、大虐殺かましてのうのうと傭兵《ようへい》やってるわけネェ。犯罪組織束ねてるって方が信憑《しんぴょう》性が高いわな」

「そりゃそうでしょ」

ルミアが言うと、アクセルは小さく息を吐いた。

「ちっと昔話を聞いてくれや、ルミア・オータン」

ルミアは少しだけ反応を示した。

その反応が困惑だとアスラには分かった。

団員たちもみんな、少しだけ目を見開いた。

マルクスだけはなんの反応も示さなかったので、その可能性をすでに考察していた可能性が高い。

「俺様は未だに、ジャンヌが自国の王と第二王子を殺したなんて信じられネェ」

ジャンヌはその罪で英雄の称号を剝奪され、死刑判決を受けた。

「こりゃ俺様の推測だがヨォ、ジャンヌはたぶん、王族の権力闘争に巻き込まれたんだろうぜ。そんでな、裏で英雄も嚙《か》んでんじゃネェかって疑ってんだ」

「それは面白い説だね」アスラが笑った。「権力闘争じゃなくて、英雄が嚙んでるって方」

「俺様はヨォ、嘆願書まで書いたんだぜ？　ジャンヌの死刑を見直してくれってヨォ。俺様は大英雄っつっても、東の大英雄だ。中央には中央の大英雄がいて、そいつがジャンヌの処刑を承諾してっからヨォ、救えなかった」

「嘆願書？　アクセル様が？」

ルミアが少し驚いたように言った。

「ああ。ジャンヌはヨォ、公開拷問を受けてたろ？　俺様は直接見ちゃいねぇが、話聞いただけで虫酸《むしず》が走るぜ。一八の少女をヨォ、あいつら、全裸で引き回して民衆に石を投げつけさせて、そっから気ぃ失うまで鞭《むち》で打ち続けた。元から中央の連中はいけ好かネェが、吐き気がしたぜ俺様はヨォ」

「気が合うわね。わたしも中央の連中は嫌いよ」

「けど、そんな目に遭いながら、ジャンヌは一度も声を上げなかったんだろ？　顔を伏せることもなかったたって話だ。事実ならヨォ、どんだけ強ぇんだよあいつは」

「さぁ、ただ全てがどうでも良かっただけなのかも」

ルミアは少し悲しそうに見えた。

「かもしれネェな。だとしても、だ。そんなジャンヌが、処刑の時になって、いきなり【神罰】喰《く》らわすか？　俺様はその場にいなかったがヨォ、あとで行ってみりゃ死体の山だったぜ。ありゃ【神罰】使わネェと無理だぜ」

「他の魔法とは一線を画する究極の攻撃魔法、【神罰】」マルクスが言う。「ジャンヌを最強たらしめていた魔法か」

「どんな魔法？」とレコ。

「死の天使の具現化。その天使は英雄と同等の戦闘能力を持つ。ジャンヌはその天使を同時に三体、具現化できた」ジャンヌマニアのマルクスが説明する。「よって、一時的ではあるが、ジャンヌは一人で英雄四人分の戦闘能力を発揮できた」

「ふぅん」とレコ。

アスラはその様子が少し面白かった。

レコはすでに【神罰】を見ているから。

そして、レコは見たことに気付いている。

レコがジッとルミアを見詰め、ルミアが微笑みながら人差し指を自分の唇に当てた。

それから口の動きだけで「ないしょ」と言った。

ユルキが二人のやり取りに気付いていたが、キョトンとしている。

「あとで知ったんだがヨォ、ジャンヌの妹も捕まってたんだ。共犯の疑いでな。たぶん、だがヨォ、妹庇《かば》ってたんじゃャネェかって思ってヨォ。んで、処刑の時に……」

「守るべき者がすでに死んでいたと知った、あるいは死んだと思わされたたってとこかな？」

アスラが小さく両手を広げた。

「そんなとこだろうな」アクセルが息を吐く。「ジャンヌの陰に隠れちゃいたが、妹の方も姉と同じ魔法戦士だったらしいぜ？　俺様は魔法には詳しくネェが、妹は光属性で、まだ固有属性は持ってなかったらしいぜ?」

「ジャンヌの妹、ルミア・オータン」マルクスが説明するように言う。「ララは当代貴族号で、妹はララを名乗れない。まぁ、ジャンヌの方も有罪になった時点でララ号は剝奪されているが、今でもみな、ジャンヌ・オータン・ララと呼ぶ」

「まぁ、なんだ、すまなかったな。ジャンヌ姉ちゃん助けてやれなくてヨォ」

アクセルはルミアを見ていた。

みんながルミアを見ていた。

「わたしは、ルミア・オータンじゃないわ」ルミアが寂しそうに笑った。「それに、仮にそうだったとしても、あなたが謝る必要もないでしょう?」

「そうか」アクセルが立ち上がる。「名前と容姿と実力。どれも符合するんだがヨォ。違うっつーんなら、違うんだろうぜ」

アクセルは懐に手を入れて、札束をアスラに投げ渡した。

「これは?」

「依頼だ。うちの若い奴を監視役にする。そいつは試合なら俺様と対等に渡り合える将来の大英雄候補だ。が、頭ん中がお花畑で困ってんだ。ちっと鍛えてやってくれや」

「お花畑?」

「ああ。人間の善性を信じてるし、実戦経験もネェ。始めの合図があるまで自分が攻撃されるとも思ってネェし……」

「そりゃ英雄みんなそうだろう?」アスラが肩を竦める。「善性や実戦経験じゃなくて、攻撃されないと思ってること」

「……まぁな。人間に殺されるとは、思ってネェな。俺様も、テメェらに会うまでは思ってなかった」

「だろうね。それで暗殺対策はできたかね? まぁ、地下シェルターにでも引き籠もらない限り、常に死の危険はつきまとうがね。英雄でなくても」

「しぇるたーってなんだテメェ」

「……頑丈な地下室にでも隠れていろ、ってことだよ。誰にも殺されたくないなら。極力誰にも、なんにも関わらずに生きていくしかないね」

「んなことできるわけネェ。英雄にも英雄の生活っつーか、人生があんだヨォ」アクセルが顔を歪《ゆが》める。「今更、英雄はどこの組織にも所属しちゃいけネェ、なんてことも言えネェ。家族を持つなとも言えネェ。国を捨てろとも言えネェ」

「だったら殺される可能性は残るね」

「今まではそれで上手くいってたんだクソッ!」

「つまり君らみんな、お花畑だったってことだよ。まぁ安心しろ。その将来の大英雄候補とやらには、私が非情な現実を叩《たた》き込んでおいてやる」

「ああ、そうしてくれや。テメェらみたいなクソがいるってこと、知っただけでも成長できるだろうぜ。ちなみに、ジャンヌの最速記録を塗り替えた奴だ」

アクセルは右手を振ってから部屋を出た。

「英雄を鍛えるというのも面白そうでいいね。というか、五万ドーラはあるよこれ。色々と片づいたら豪遊しようか」

アスラが笑顔で札束を振る。

「いいっすね。でも鍛えるって、英雄ならもう強いっしょ？　メンタル的なことっすよね？」

「でしょうね」ユルキの問いにルミアが答える。「英雄って、だいたい英雄になった時には実戦経験があるし、人を殺したこともあるし、世界のことも分かっているものよ。それらが欠けている、ってことでしょうね」

「あ、あの、それより」サルメが言う。「聞いてもいいですか？」

「ダメよサルメ」ルミアが言う。「まだ話したくないと言ったはずよ？」

「そ、そうですね。ごめんなさい」

みんなルミアのことを気にしている。

そろそろ話してもいいと思うのだけどなぁ、とアスラは思った。

多くのことをアクセルが言ってしまったのだから。

「さて、それじゃあ本筋に戻ろう。情報は？」

「うぃっす。麻薬買う振りして売人とっ捕まえて、色々と吐かせたっす」

「……この国には、フルマフィ以外にも、地元の犯罪ファミリーがある……」

「けれど、縄張り争いはもう終わっているわ。それぞれの縄張りがハッキリしている状態で、どちらも抗争は望んでいないから、平和にそれぞれの縄張りで商売をしている感じね」

「んで、フルマフィの縄張りに移動して、そっちの売人も捕まえて吐かせたっす」

「……リトルゴッドの名前は知らないみたい……アジトも」

「下っ端は知らないみたいよ。でも、その売人の上司は闇カジノを経営していて、その場所も教わったわ」

「よろしい」アスラが拍手する。「それでその売人はどうした？」

「殺して死体を隠したっす」

「……あたしたちのこと、知られない方がいいって、思ったから……」

「それも満点。早速、その闇カジノに踏み込もう。全員、装備を整えて一〇分後に宿の前に集合。サルメとレコはまだ武器は持つな。では解散」

◇

「……突入！」

イーナの合図で、マルクスがドアを蹴破って中に入る。ユルキとルミアが続いて、最後にイーナ。

アスラはサルメとレコを自分の背中に隠しながら、のんびり歩いて中に入った。

通路にいた人間はすでに死体になっている。どうせフルマフィの関係者だから、アスラは特に気にしない。

「ユルキ兄っ！　魔法ダメってあたし言った……！」

「お、魔法使えって言ったんじゃねぇの？」

「違う！　マルクス……消火して、早くっ！」

ユルキが【火球】を使って誰かを丸焦げにした。

ひどい匂いと煙。

マルクスが水属性の攻撃魔法で、火が建物に燃え移る前に消火。

「副長！　ちゃんと……殺して！」

ルミアが殺さずに戦闘不能にした相手に、イーナがトドメを刺す。

「全部殺せって指示しなかったでしょ？」

「……しなくてもやってよぉ！　ここのボス以外、みんな死んでいい……！」

「じゃあ最初に言ってよね」

ルミアが肩を竦めた。

「……チグハグですね。でもこっちは無傷ですね」

サルメが呟《つぶや》いた。

「イーナ、指揮下手」レコが言う。「でもなんだかんだ、順調に制圧してる」

「相手が弱いからね。イーナは指揮経験がないから、ここの雑魚で練習させてるんだよ」

アスラが笑う。

「ところで、どの人がボスかどうやって判別するんですか？」

「最後に残った奴がボス。支配人だね」アスラが説明する。「大抵、下っ端から向かって来て、最後に大物が残る」

「今の団長みたいに？」とレコ。

「私は本来、好戦的だから最初に突っ込むこともある。でも闇カジノの経営者なら、最初に突っ込んできたりしないよ。喧嘩《けんか》の腕より知能を買われているだろうからね」

◇

闇カジノの支配人の顔面に、マルクスが【水牢《ろう》】を生成。

しばらく苦しめたのち、【水牢】を解除。

支配人が咳《せ》き込む。

「よし、大人しくなったね」

アスラがニヤニヤと笑う。

手には拷問用の大きな鞭を持っていた。

「リトルゴッドの名前とアジトの場所を吐けば、楽に殺してあげるよ？」

アスラは椅子に座っている。

支配人は後ろ手に縛った状態で床に転がしていた。

ここは闇カジノのスタッフルーム。

すでにカジノにいたフルマフィの連中は全員あの世に送った。

まぁ、今回アスラはイーナの指揮を見ていただけで、特に何もしていないが。

「お前ら……自分たちが何をしているのか……分かってんのか？」

支配人は三〇代後半の男。それなりに鍛えているようだが、所詮はそれなり。

「私の経験上、拷問はそれほど有効ではないんだよ」アスラは支配人の言葉を無視した。「訓練された兵士や、強い信念を持った者にはまったく意味がない。時間の無駄なんだよね。けれど、君のような半端な悪党には非常に効果的なんだ」

アスラが立ち上がり、鞭を振るう。

空気を裂く音に続いて、破裂音。

床に叩き付けただけだが、その威力がどれほどのものか、一発で分かる。

「この鞭は一撃で皮膚が裂ける。普通の人間なら二発で失禁、三発で気絶。かのジャンヌ・オータン・ララですら、五発で気絶したそうだよ？」

アスラはとっても楽しそうに言った。

「それからまぁ、普通ならだいたい七打か八打で死に至る。なぜ死ぬかって？　痛いからさ。文字通り、死んだ方がマシなぐらい痛いんだよね。まぁ、私なら一〇回は耐えられるけど。死ぬ方じゃなくて気絶する方だよ？」

「逆に言うと、団長でも一〇回で気絶するほど恐ろしい武器ってことっすね」

「……ユルキ兄も、七回耐えたじゃん……。ちなみにあたしは六回だった……」

「自分は八」

「わたしが最大で一二回まで耐えたわ」

「実は五回耐えればいいんだよね」アスラが言う。「それ以上は危険だから、処刑でなければもう打たれないからね。さて君は何回耐えられるかな？」

支配人の表情が恐怖に歪む。

少し待ったが、支配人は何も言わなかった。

一回は打つ必要があるか、とアスラは思った。

「な、なんてことしてんのよあんたたち！」

スタッフルームのドアは開けたままにしていたのだが、そこに金髪ツインテールの少女が立っていた。

少女の見た目は一五歳前後。

ブルーの瞳に、整った顔立ち。美人と言って差し支えない。

「おや？　アクセルの言っていた若い英雄かな？」

アスラが首を傾げる。

少女の気配に、レコとサルメ以外は気付いていたので、特に驚くこともない。

少女は背中に剣を背負っていた。

少女は煌《きら》びやかな白いブラウスを着ている。フリルで装飾されていて、首元に黒のリボン。

スカートは黒で、ブラウスと同じように煌びやか。当然フリルもある。スカートの丈は膝より少し上ぐらい。

白黒ボーダー柄のニーハイに白のブーツ。

どれも酷く高価なものだと見ただけで分かる。

少女はキッとアスラを睨《にら》み付ける。

「あんたたちは人でなしよ！」

三章　四話

処女を捨てろ　私が優しく指導してやろう

アイリス・クレイヴン・リリは地獄を見たような気がした。

皆殺しだった。

あまりにも酷《ひど》すぎる。人間の所業だとは思えない。

アクセルから監視の命を受け、アイリスは《月花《つきばな》》を見ていた。

彼らは開店前の闇カジノに乗り込んだ。

アイリスも少し遅れて中に入った。

そこはまるで地獄。

みんな死んでいた。

そこら中に血溜《だ》まりがあって、死体が転がっている。

吐き気を催す匂い。

最初からこうするつもりでなければ、ここまで手早く殺せない。

指揮経験のない人間が練習がてらこの景色を作った、なんて言われてもアイリスには信じられない。

本当に、少し遅れて入っただけなのだ。あの短い時間でここまでの地獄を創造するなんて、どうであれマトモじゃない。

「な、なんなのよこれ……」

見たことない。こんな凄惨な光景、一度だって見たことない。

アイリスは領地を持った小貴族の家に生まれ、優しい世界で育った。

あまりの凄惨さに泣きそうになった。

アイリスは先日一五歳になったばかり。

ずっと平和に暮らしてきたのだから、人生経験があまりにも浅い。

◇

「こんなことして、何考えてるのよ⁉ 突入していきなり殺したでしょ⁉ なんでそんなことするのよ⁉ 犯罪者だからって、更正の機会を奪うなんてあんまりよ‼」

少女はとっても怒っていた。

「君、名前は？ 知っているかもしれないが、私はアスラ・リョナ」

「あたしはアイリス・クレイヴン・リリ。あんたたちを監視するように言われた英雄よ。その人どうするつもりなの？」

「拷問して情報を吐かせて、それから殺す」

アスラは淡々と言った。

「なんであんたたちが裁くのよ！　それって憲兵の仕事でしょ⁉　しかも全員死刑なんておかしいじゃない！」

アイリスは今にも噛《か》み付いてきそうな勢いだった。

よく吠《ほ》える犬みたいだ、とアスラは思った。

「うん。君は正しいよ。けれど、私たちは憲兵の仕事をやっている。憲兵が望んだことなんだよね、これは」

「嘘《うそ》よ！　憲兵が皆殺しにしろなんて言うわけないじゃない！」

「ふむ」

アスラは少し考えるような仕草を見せた。

「とりあえずアイリス、一度背中の剣を床に置いてくれないかな？　鞘《さや》ごと頼む」

「は？」

「君は英雄だろう？　君が武器を背負っていたら、私たちは怖い。脅されているように感じる。そうだろう？　話し合いじゃなくて、君の恐喝にしか見えない。違うかい？」

「……違わないわね」

アイリスは素直に鞘のベルトを外し、そのまま床に置いた。

想像以上にお花畑だった。

英雄はみんなお花畑だとアスラは言ったが、アイリスはその中でも満開のお花畑だ。

うっそだろ⁉

という団員たちの表情を見て、アスラも苦笑い。

「それじゃあ、あたしの話を聞いて」

「待った」アスラが言う。「まだ怖いな。君は英雄なんだから、背中を見せてくれ。そのぐらいのハンデがないと、私たちは安心できない」

「これでいい？」

アイリスは本当に素直に、アスラに背中を向けた。

完全に無防備。

自分が攻撃されると思っていない者の行動。

この状況で、攻撃されない？

普通の英雄なら、いや、普通の人間なら、この状況で背を見せたりはしないはず。

マルクスは口を半開きにして驚き、ルミアは表情を引きつらせて驚愕《きょうがく》している。

イーナは口の中で「バカがいる」と呟《つぶや》く。

ユルキは頭を掻《か》いて、一生懸命にアイリスの行動を理解しようとしていた。

レコとサルメは成り行きを見守っている。

支配人は何がなんだか分かっていない様子。

「うん。君は素直ないい子だね」

アスラは微笑み、
鞭《むち》を振った。

鞭はアイリスの背中から尻にかけて命中し、服と皮膚を引き裂いた。

破裂音から少し遅れて、
アイリスが絶叫した。

絶叫しながら倒れ込んで、床をのたうち回る。

「でも、状況によってはその素直さが毒になる。今みたいにね。ダメだよ、そんな簡単に武器を捨てたり背中を見せたりしちゃ」

アスラは楽しそうにレクチャーした。

「そ、それでも英雄なの⁉　ちょっと貸してアスラ！」

ルミアが憤慨してアスラから鞭を奪って、そのまますぐにアイリスを打ち据えた。

アイリスは絶叫する代わりに失禁して、軽く痙攣《けいれん》。

「英雄の自覚ないでしょあなた‼　武器を捨てる⁉　背中を見せる⁉　その上、躱《かわ》しもしない⁉　英雄舐《な》めてるでしょ⁉」

ルミアが三打目のモーションに入ったので、アスラがルミアの腕を掴《つか》む。

「落ち着けルミア。依頼は鍛えることであって、虐待することじゃない。当然、殺すことでもない。気持ちはまぁ分かる。分かるけど止めろ。私たちの目的はアイリスに汚いことや酷いことを教え、自分が攻撃されることを認識させ、実戦で使えるようにすることだよ？」

アスラは冷静に言って、ルミアはやっと少し落ち着いた。

「……副長を怒らせちゃ、ダメ……」

イーナがレコとサルメに小声で言った。

レコとサルメが何度も小刻みに頷《うなず》いている。

「……なんで怒ったのか、あたし分からないけど……」

イーナがコテン、と首を傾げる。

レコとサルメはまた小刻みに頷いた。

「あまりにも、英雄という称号を舐め腐っているからだろう。マティアスなら、背中を向けていても最初の鞭をそもそも躱す。いや、その前に武器を捨てることもないだろう」

マルクスが吐き捨てるように言った。

「ユルキ、一応アイリスを縛っておけ。縄はまだあるだろう?」

支配人を縛るために用意したものだが、予備も持って来ているはずだ。

「あるっすよー」

「英雄って縄パーンってしない?」とレコ。

「力で引き千切るって意味かい?」とアスラ。

レコが頷く。

「アクセルじゃないんだから、大丈夫だよ。英雄って神格化されているけど、人間だからね」

「へぇ……」

「それにその子はしばらくまともに動けないと思うよ。あ、でも仕事の邪魔をされるのは困るから手拭いか何かで口を塞いでおこうね? ユルキ」

「うぃっす」

ユルキがアイリスに近付くのを確認してから、アスラはルミアの手からゆっくりと鞭を取った。

「さて、お待たせしたね」

アスラは支配人に笑顔を向けた。

「ピエトロ!!　ピエトロ・アンジェリコだ!!」

支配人が半泣きの状態で叫んだ。

「なんだって？」

「リトルゴッドの名前！　ピエトロ・アンジェリコ！　頼むからそれで打たないでくれ！」

支配人はガタガタと震えながら言う。

英雄であるアイリスが、鞭で打たれてどうなったか。

それを間近で見て、支配人は心底から怯《おび》えている。

そしてアスラの方は。

まるで表情が抜け落ちたように硬直している。

「アスラ？」

ルミアが呼ぶ声も、アスラには届いていない。

「……ピエトロ・アンジェリコ……？」

アスラは無意識にその名を呟いていた。

まったく意識せず、自分の口から零《こぼ》れた名前を聞いて。

アスラは酷い頭痛に襲われて、倒れ込みそうになった。

それをルミアが支える。

「どうしたのアスラ？　平気？」

「すまない、代わってくれ。アジトの場所を聞き出しておくれ」

「分かったわ。休んで」

アスラは鞭をまたルミアに渡し、自分は近くの椅子に座った。

「マルクス、水をくれないか？」

「はい」

マルクスはアスラの顔に近い空間で【水牢《ろう》】を生成する。

アスラは両手でその【水牢】から水を汲《く》んで、ゴクゴクと飲む。

「大丈夫ですか団長？　まだ毒の効果が残っていたのですか？」

「いや、違う。そうじゃない」

アスラはまた水を汲んで、今度は顔を洗った。

落ち着かない。

幼い頃の記憶が、
いや違う。

まだ自分が何者か知らなかった時のアスラが、動揺している。

「終わったわよ」とルミア。

「……早いね」

「ペラペラ喋《しゃべ》ってくれるんだもの」

ルミアが肩を竦《すく》めた。

「団長、こいつの背中、治療してやった方がよくねぇっすか?」

ユルキはアイリスの両手両足を縛り上げて、床に転がしている。

アイリスはただ泣いていた。

打たれた箇所が痛くてたまらないのだ。

「ああ。マルクスとルミアで」

「わたしは嫌よ。しばらく痛い思いすればいいのよ」

「想像を絶するお花畑に腹を立てるのも分かるが、命令だルミア。治してやれ」

「……命令なら、やるわ。でも、すぐには治らないわ」

「知ってる。ゆっくりでいい」

アスラは立ち上がって、支配人の方にゆっくり移動。

サルメとレコの方を向いて、来い来いと手で合図。

サルメとレコがアスラの隣に並ぶ。

マルクスがアイリスの傷跡に【絆創膏《ばんそうこう》】を貼り付け、ルミアが回復魔法を発動させる。

イーナはアイリスを見て、支配人を見て、それからアスラの方にトコトコと寄ってくる。

ユルキはアイリスのことを心配そうに見ていた。

「最後の質問だけど、ピエトロ・アンジェリコは、元軍人かな？」

「そ、そうです！　よく、大虐殺の自慢話を聞きました！　ジャンヌ探しを口実に、へんぴな村で略奪したって！」

「そうか。そのへんぴな村ね、平和でいい村だったんだよ？　あと、自分たちがほぼ壊滅した話はしてないかな？　してないよね、きっと」

　アスラが笑う。

　普通の笑顔。

「レコ、処女を捨てろ」

　言いながら、アスラは短剣をレコに渡した。

「処女？　オレ男だよ？」

「お、お尻の穴のことではないでしょうか……」

　レコがキョトンとして、サルメが頬を染めながら言った。

「バカ……」イーナが言う。「処女を捨てる、って……初めて人を殺すって意味……」

「その通り。サルメにはまだ早いから、サルメは見ていろ。目を逸らさないこと。もし逸らしたら、さっきの鞭で打つ。いいね？」

「は、はい」

　サルメが大きく頷いた。

「おおおおい！　助けてくださいよ！　全部話したじゃないですかー!!」

支配人が床で後ずさる。

「イーナ、少し痛めつけろ。レコが殺しやすいように」

「……あい」

イーナはとっても嬉《うれ》しそうに、支配人に暴行を加え始めた。

アイリスが床に転がったままこっちを見て何か叫んだ。

でも手拭いを噛んでいるので、言葉になっていない。

「治療してるんだから動かないで」

ルミアがアイリスの頭を殴った。

「もういいよイーナ。そいつを椅子に座らせろ」

「……あい」

イーナは支配人を無理やり近くの椅子に座らせる。

支配人がグッタリしているので、イーナが背後から支えた。

「レコ、短剣は横に寝かせるんだよ？」

アスラは酷く優しい声で言った。

「はい団長」

レコは素直に短剣の刃を寝かせる。

「胸を突いて、肋骨《ろっこつ》の隙間に滑り込ませる。だから寝かせる。分かるかい？」

まるで弟に新しいことを教える姉のように優しい声。

アスラは思い出していた。

自分に弟か妹が生まれるはずだったことを。

「縦だと、刃が肋骨に当たって、致命傷にならない？」

「そういう場合がある。いい子だレコ。やってみて」

「はい団長」

◇

イーナが支えるのを止めると、支配人の身体がズルリと床に落ちた。

「すげぇなレコ」ユルキが言った。「処女はたいてい、戸惑うし、ビビるもんだがなぁ」

「自分も驚いた。なんの躊躇《ためら》いも見えなかった」

「……あたしも……。普通、ビビるよ？」

「みんなは知らないだろうから説明しておくと、レコの心は壊れてるんだよ」

「壊れてる？」とユルキ。

「私と同じで他者への共感が低いから、殺しても罪悪感がない……もしくは少ない。レコはまぁ、見た感じ罪悪感はまったくなさそうだね」

レコは褒められたと思って胸を張った。

「……へぇ……」

イーナがレコを見詰めた。

「まぁ厳密には、私とレコは完全に同じではないけどね。私は生まれつきだけど、レコは生まれた時は普通の子だった。でも環境のせいで心が壊れた、とでも言おうか。中位の魔物に家族を皆殺しにされた時のショックだね、レコの場合」

「オレ、心壊れてる、団長癒して」

レコが冗談っぽくアスラに抱き付く。

「よしよし、いい子だレコ」

アスラが普通にレコの頭を撫《な》でたので、みんな少し驚いた。

レコ本人も驚いていた。

アスラも驚いた。

私は何をしているんだ？

レコは弟じゃないぞアスラ・リョナ、とアスラは心の中で言った。

ピエトロの名を聞いたせいで、前世を忘れて幸せに生きていた頃のアスラの感情が前面に出てしまっている。

「ま、まぁ団長、撤収しましょーや。もう用ないっしょ？」

ユルキが言って、アスラが頷く。

「マルクスは悪いがアイリスを担いでくれ。ルミアは宿に戻ったらアイリスの治療を再開。サルメとレコは最寄りの憲兵団の屯所に行って、ここのことを報告。明日にはフルマフィのアジトを襲撃するから、ユルキとイーナで下見に行ってくれ。それが済んだら、今日はゆっくり休むこと。以上」

◇

宿に戻って口枷《かせ》代わりの手拭いを外してやると、アイリスが騒ぎ始めたので、アスラは再びアイリスに手拭いを噛ませた。

「別に取って食ったりしないから、少し落ち着きたまえよ」

アスラの部屋にはアスラとアイリス以外にマルクスとルミアがいた。

マルクスはアイリスを担いで来てそのまま残った感じで、ルミアは治療のためだ。

アイリスはベッドの上に転がされている。

「ルミア、治療してやれ」

「嫌だけどやるわ」

ルミアがベッドに乗って、アイリスに回復魔法をかける。

「自分はどうしましょう団長」

「もう休んでもいいし、ここで私と話をしてもいい。どうする？」

「しばらくいます」とマルクスは壁にもたれた。

「大声を出さないのなら、それは外してあげるよ？」

アスラがアイリスに言った。

アイリスがコクコクと頷く。

ルミアがアイリスの口に噛ませている手拭いを外した。

「このひとでなし軍団っ。子供に殺させるなんて最低。あんたたちこそ犯罪者よ。逮捕されるべきよ」

声量こそ抑えているが、アイリスはいきなりアスラたちを罵《ののし》った。

「そういうあなたは英雄の資格がないわね」

「は？　あたしは英雄選抜試験で合格したんだから、資格あるんだからね？　一回も攻撃受けずに鮮やかに全勝したんだから。みんな褒めてくれたもん。ジャンヌ以上だって」

「ジャンヌはあなたの年の頃には、戦場を駆け回って実戦経験を積んでいたわ」

「てゆーか、ジャンヌなんか英雄の面汚しじゃない。比べないでよ」

ふんっ、とアイリスがソッポを向いた。

「自分でジャンヌを引き合いに出したんじゃないの」

ルミアが呆《あき》れたように言った。

「だいたい、あんたたち、いきなり英雄のあたしを攻撃するなんて、どうかしてるのよ。有り得ないじゃない」

「アクセルから聞いてないのかい？」アスラが言う。「私たちはマティアス殺しの容疑者だし、英雄を殺すことなんて屁《へ》とも思ってないって」

「……聞いてたけど、実際、見るまであんたたちがこんなに酷い連中だなんて思ってなかったもん」

「じゃあやっぱりあなたがバカなのね」

ルミアがやれやれと首を振った。

「バカじゃないもん！　バカはそっちでしょ！　人殺し！　犯罪者！　ロクデナシ！　ひとでなし！」

「黙りなさいっ！」

ルミアがアイリスの背中、鞭痕を叩《たた》いた。

マルクスの【絆創膏】の上からとはいえ、まだ痛むはず。

アイリスが悲鳴を上げた。

「頼むよ君たち、静かにしてくれたまえ。他の客に迷惑だろう？」

アイリスはお花畑な上にめんどうな性格をしている。

アスラは小さく溜息《ためいき》を吐いた。

三章　五話

神性を持った人間など存在するのだろうか？　そもそも神を信じていないよ、私は

翌朝、目覚めるとベッドにレコとサルメがいた。
アスラは少し考えて、「ああ」と頷《うなず》いた。
昨夜、ＭＰの認識を教えていて、そのまま一緒に寝たのだ。
ベッドから降りると、床にアイリスがいた。
アイリスは縛られたままだが、スヤスヤと気持ちよさそうに眠っていた。
アイリスの服は当然、破れたままなのだが、傷口は塞がっていた。
痕が少し残っているが、このぐらいなら自然に消える。
マルクスとルミアの回復魔法がなければ、あの鞭《むち》の傷跡は一生残る。
「神経は太いみたいだね」
ムニャムニャと寝言を口走ったアイリスを見て、アスラは一人呟《つぶや》いた。
床に転がっているアイリスから少し離れた場所に、アイリスの剣が置いてある。
アスラはその剣を鞘《さや》から引き抜く。
「ほう。片刃の剣か」
人を殺さないように、という配慮か。いわゆる峰打ちができる剣。

しばらく眺めて、剣を鞘に戻した。

「さて、と」

アスラはベッドに近付く。

サルメとレコはどっちもまだ寝ている。

「起きろガキども！　顔を洗って朝食だよ！」

アスラが叫ぶと、最初にアイリスが飛び跳ねるように起きた。

「あ、朝ご飯いる！」

アイリスがキョロキョロと周囲を見て、そして自分が縛られていることを思い出す。

ついでにここがどこで、どういう状況なのかも思い出した様子。

アイリスはアスラを睨《にら》んだ。

「ああ、君の分も用意させてる。縄を解くが暴れないように。暴れたらまた鞭でしばくよ？」

◇

朝食を摂ってから三〇分後。

傭兵団《ようへいだん》《月花《つきばな》》のメンバーは全員フル装備で宿の前に集合していた。

いつもの黒いローブに、短剣までは全員共通の装備。

ルミアとマルクスは背中に剣を背負っている。マルクスは一般的な片手剣で、ルミアのはクレイモアと呼ばれる両手持ちの大剣。

ユルキは片手斧《おの》を腰に差し、背中には矢筒、右手で弓を持っている。

イーナは弓と矢筒。

サルメとレコには、まだ武器を持たせていない。扱い方を教えていないからだ。

しかし二人とも矢筒を背負っている。それは予備の矢で、二人に使わせるためじゃない。

「また皆殺しにするの？」

アイリスが機嫌悪そうに言った。

もう縛っていないので、アイリスは自由に行動できる。

ただ、仕事の邪魔をしたら鞭打《むちう》ち、と脅してあるので、積極的に邪魔はしないはずだ。

「そのつもりだよ。念を押しておくが、私たちは本当に憲兵の仕事をやってる。だから合法なんだよ、私たちの殺しは。まぁ、殺しのライセンスってとこだね」

スパイ映画を思い出しながら、アスラが笑う。

「アーニアの憲兵……最低……」

「麻薬をばらまく連中の方が最低でしょ？」

アイリスの呟きに、ルミアがムッとしたように言った。

「その通り。我々は珍しく正義の味方をやっている。おや？　正義の味方って響きいいね」

「団長には最高に似合いませんな」とマルクスが笑った。

「ぶっちゃけ団長って正義の敵っすよね」

「……史上最高の悪党……」

「最低の犯罪者でも……更正の余地はあるんだから……」

「ほう。私に言っているのかなアイリス？」アスラが肩を竦《すく》める。「残念だが、私は更正しない。なぜならこれが私だからだよ」

「更生する気がないってこと？」

アイリスが首を傾げた。

「あるように見えるのか？」

ユルキがアイリスの頭を撫《な》でた。

「子供扱いしないでよ」

アイリスがユルキの手を振り払う。

「さて諸君。気を引き締めて征《ゆ》こう。相手は何せ、犯罪者たちだからね。兵士より弱いが、兵士よりなんでもやる。元々名誉もクソもない連中だからね」

ハハッ、とアスラが笑う。

団員たちも笑った。

と、アーニアの憲兵が数人、アスラたちのところに走って来た。

「《月花》のみなさん！　作戦行動を中止してください！」

憲兵は肩で息をしながら言った。

「間に合って良かった……」

別の憲兵も肩で息をしている。

「何があった?」アスラが聞く。「ああ、どうせ良くないことだろうけど」

「シルシィ団長が昨夜、誘拐されました。奴らの要求は、《月花》の身柄です」

「二四時間、警護するように言ったはずよ?」

ルミアが目を細め、咎《とが》めるような口調で言った。

「連中はアサシン同盟を使って、護衛を皆殺しにしてから団長を攫《さら》いました」

更に憲兵の数が増える。

アスラたちはすでに囲まれている状態。

「なるほど。それで? 私たちを差し出すのかい?」

「……申し訳ありませんが……」

憲兵は気まずそうに言った。

まぁ気まずいだろうなぁ、とアスラは思った。

「別に構わないけど、シルシィはもう死んでるんじゃないかな? こういう時は、人質は死んだと仮定して動くものだけど、君らは違う?」

アスラの言葉の途中で、ルミアが踵《きびす》を返して少し離れた。

「死んだと仮定するって、あんたなんでそんなこと言うのよ⁉ 自分の仲間だったらどうなのよ⁉」

アイリスが怒ったように言った。

「私の仲間だったら? もちろん死んだと仮定して動く。みんなそうする」

アスラが言うと、団員たちが頷く。

「あの、それで……」憲兵が申し訳なさそうに言う。「我々はシルシィ団長を救いたい……。ですので……」

「俺らを生け贄《いにえ》にするってか？　つーか、なんで俺ら？　俺らがカジノ潰したって知ってんのか？」

「バカ、ユルキ」アスラが言う。「シルシィが一晩で吐いたからだろう？」

「あ、そっか。拉致られてんっすよね」

ハッハー、とユルキが愉快に笑った。

「まぁいい。大人しく捕まってあげよう。更に特典だよ？　私たちはなんと、シルシィが生きていると仮定して動いてあげようじゃないか！」

「まぁ、そうしないなら捕まる理由がありませんからね」マルクスが言う。「依頼主が死んでいたら、我々はもうここになんの用もない。普通に彼らを突破してさようなら、でいい話になってしまいます」

「というわけだ憲兵諸君。我々は捕まる。みんな武器を置け。私たちはシルシィの身柄と交換でフルマフィに差し出される。それから、連中を皆殺しにしよう。どちらにせよ、やることは変わらない」

「ごめんなさいアスラ」ルミアが言った。「ちょっとお先に失礼するわ」

ルミアが助走を付けて、憲兵たちに向かって飛んだ。

「おいルミア、作戦行動中だよ？」

「別の案があるの！　気に入らないならあとで罰を受けるわね！」

ルミアは憲兵たちの肩を蹴りながら、軽やかに囲みを突破した。

「え？　何、今の動き……軽やかすぎてビックリした……」アイリスが目を見開いた。「あの人、何者なの？」

「うちの副長だよ」

アスラは事実を淡々と述べた
「……やった！」イーナがガッツポーズ。「……副長が命令違反……ふふっ、副長にお仕置きできる……ふふ、ふふふ」

「あー、すまない憲兵諸君。副長が逃げた。でもまぁ、いいだろう？　残りはみんな捕まってあげるから大目に見てくれたまえ」

アスラが両手を広げた。

「うわぁ、副長マジかぁ……。俺、副長お仕置きすんの嫌だぜ……なんか副長エロいからやりにくいんだよなぁ……」

「うむ。何をされていても副長はエロい。自分は純潔の誓いが揺らぎそうになる」

「君らヘンタイの上級者だね」

アスラは笑ったが、確かにルミアは痛めつけられている姿が扇情的なのだ。

元々、ルミアが色っぽいから半泣きになって上目遣いをされるとやられる。

「オレも副長にお仕置きできる？」

「もちろんだレコ。こういうのはみんなでやる。基本的にはボコボコにするんだけどね。ただまぁ、別の案とやらが良かったら、酌量はする。それに、正直な話、今更殴ったところで、って感じなんだよね。みんなも私も拷問訓練受けてるからねぇ」

ルミアはたぶん、

最初から出し抜く機会を窺《うかが》っていた。

この私を出し抜く機会を。

◇

アーニア王国憲兵団、貿易都市ニールタ支部。

アスラたちは完全に丸腰の状態で、一カ所に集められていた。

当然だが、英雄であるアイリスはそこにいない。

「まさかの牢屋《ろうや》とは」マルクスが溜息《ためいき》混じりに言った。「逃げる気がないとなぜ分からん」

「まぁそう言うなマルクス。たまには牢《ろう》も悪くないだろう？　状況を楽しみたまえ」

アスラは簡易ベッドに腰掛けている。

「さて《月花》のみなさん、ここからは私が仕切らせて頂きます」

牢の前に、男が一人立っていた。

そいつは一切の気配を断ち切っていて、アスラたちですら接近を察知できなかった。

背はそれほど高くない。黒い服に、黒い布で顔を隠している。

「やぁ初めまして。君は？」

「アサシン同盟の者です。我々が間に入って、取引を円滑に進めさせて頂きます」

「落ちたもんだなおい」ユルキが笑う。「恐怖のアサシン同盟が取引の仲介ってか？　殺しはどうした殺しはよぉ」

「みなさんは知らないのです。彼女の恐ろしさを。彼女の神聖さを。彼女の美しさを。彼女の強さを」

アサシンは恍惚《こうこつ》とした声音で言った。

「ははーん」アスラが言う。「君ら、ジャンヌ・オータン・ララを名乗るゴッドに懐柔されたね？だからフルマフィのクソみたいな仕事をやっている。違うかい？」

「懐柔？　そんな生やさしいものではありません。我々はそもそも、彼女を殺すために数多《あまた》の刺客を送り込みましたが、誰も戻らなかった。それどころか、彼女の神性にやられて寝返る者も出た。我々は何年も彼女を狙い、そしてとうとう、ついに、諦めたのです」

「諦めたのかよ⁉」

ユルキが驚いて言った。

「そうすると今度は彼女が我々を訪ねてきた。服従か死か。彼女は問うた。私は彼女の神性を前にした時こう思った。踏まれたい、と」

「「え？」」

アスラを含む団員たちみんなが困惑した。

「彼女に罰せられたい！　彼女にお仕置きして欲しい！　私は心底からそう思った！　彼女こそ神

の代弁者！　神の代行人！　神の性質を持つ人間！　神属性！　いや、神そのもの‼」

アサシンは興奮した様子で言った。

「私だけではない。みんなそう思った。だからそう伝えたら、ジャンヌ様は困っていました。その様子がまた可愛い！　神聖でそれでいて可愛い！　もはや我々はジャンヌ様の虜《とりこ》！　秒単位で服従を誓った‼」

「おいユルキ、こいつらアサシン同盟というのはアレかね？　普段はお遊戯会でもやっているような連中なのかね？」

「いやー、昔は恐怖の存在だったんっすけどねぇ……」

「というか、ジャンヌはすでに三〇近いはず。可愛いではなく美しいと表現した方がいいのではないだろうか？」

ジャンヌマニアのマルクスが真剣な様子で言った。

「愚か者め！　ジャンヌ様は一〇〇になっても可愛い！　絶対にだ‼　まぁ、我々もあれ以降、ジャンヌ様にお会いしたことはなく、どこにいるかも不明。しかし！　我々はジャンヌ様のために動いている！」

「あー、分かったよ。それで？　これからどうするんだい？」

「ん？　私はまだジャンヌ様を語り足りませんが、まぁいいでしょう。これからみなさんには移動してもらいます。そこで、シルシィ団長とみなさんを交換。みなさんは組織の連中にグチャグチャにされるでしょう。以上。何か質問はありますか？」

「特にない。急いでくれ」

◇

ルミアは地下道を歩いていた。

松明が等間隔で灯されているので、暗くはない。

よくもまぁ、教会の地下にこんなものを作ったものだ、とルミアは感心した。

ほんの少し歩くと、豪華な扉と見張り役らしい男たちが見えた。

人数は二人。

「何者だ！」

見張り役の男が言って、剣を抜いた。

残りの男も剣を抜いた。

「リトルゴッドに伝えなさい。ジャンヌ・オータン・ララが来たと」

ルミアは凛《りん》とした声で言った。

「はぁ？　ふざけんな女！　ジャンヌ様がこんなちっぽけな支部に顔を出すわけねぇだろボケが！

おい、こいつ中で犯そうぜ！」

「おう、よく見りゃすこぶる美人だぞ？　こりゃリトルゴッドもお喜びだろうぜ」

「【神罰】」

ルミアはなんの躊躇《ちゅうちょ》もなく死の天使を降臨させた。

純白の翼に、透き通るような白い肌の天使。

色素の薄い金髪で、頭の上には光の輪。

そして、手には大剣。

すぐに我に返った。

男たちは天使の美しさに呆《ほう》けていたのだけど、

「死の天使を知らない、なんてことはないわね？」

「も、申し訳ありませんジャンヌ様！　どうかお許しください‼　どうか‼」

「こんな場所にジャンヌ様が現れるなど、想像もしていませんでした‼」

男たちはひれ伏し、通路に額をこすりつけながら謝罪した。

「おい、騒がしいじゃねぇか？　何かあっ……」

扉の中から男が顔を出し、そして固まった。

「し、死の天使……？　まさか、ジャンヌ様⁉」

「リトルゴッドのピエトロはいるかしら？」

「俺、いえ、自分ですジャンヌ様！」顔を出した男が言った。「どうぞお入りください！」

言ったあと、男は扉の中に一度引っ込んだ。

「最高級の茶を出せ！　急げ！　茶菓子も忘れんな！　急げコラ！　死にてぇのか！」

そして男は扉を完全に開いた。

ルミアは小さく笑って、

フルマフィ・アーニア支部のアジトに足を踏み入れた。

わたしは日だまりで微睡む猫恐れるほどじゃないの、本当よ？

派手なソファに、ルミアは腰を下ろした。

その部屋は贅《ぜい》の限りを尽くした、と表現しても過言ではない。パッと見ただけで高価だと分かる品々に囲まれている。

それに想像以上に広い。よくも地下にこれだけのアジトを作ったものだとルミアは再び感心した。

「儲《もう》かっているようね」

「はいジャンヌ様、おかげさまで、商売は上々ですね」

ピエトロがルミアの対面に座った。

ピエトロは三〇代半ばの男で、黒髪。あまり特徴がない。普通に街を歩いていても、犯罪組織の支部長だと気付けない。

中肉中背で、不細工でもなければ整った顔立ちでもない。強そうにも見えるし、弱そうにも見える。

ルミアとピエトロの間には、細かい装飾が施されたテーブルがある。

そのテーブルに、構成員の一人がティーカップを置いた。

このアジトには、ルミアと見張りの二人を入れて九人の人間がいる。

七人はフルマフィの構成員。外で見張りをしている二人以外は全員幹部だろう、とルミアは思った。

残りの一人は、善人。

全裸に剝かれて、床に転がっている彼女の青い髪は、酷《ひど》く乱れている。

かなり痛めつけられたのが、彼女の身体を見て分かる。

彼女は動かない。生きているのか死んでいるのかもあやふや。

「その女は？」

「はい。憲兵団の団長です」

「なぜここに？」

「そいつが団長になってから、憲兵が俺らを突く回数が増えたもんで」ピエトロが作り笑いを浮かべる。「それで、警告なんかも何度か出したんですけどね、こいつらとうとう、うちのカジノを摘発しやがった」

「摘発？」

「いえ、すんません。本当は壊滅です。皆殺しですわぁ。けど、憲兵の仕業とは思えねぇ。いえ、憲兵が現場にわんさか居たのは確認したんっすわ。けど、皆殺しって、憲兵はやらねぇっしょ？んでも、俺らも報復しなきゃいけねぇんで、こいつ拉致って、実行した奴知ってるか聞いたんっすわ。そしたら、なんと傭兵《ようへい》雇ったたって言うから驚きっしょ？」

ピエトロはやや弾んだ声で言った。

それが少し、ルミアを苛立たせた。

「何か面白いかしら？」

ルミアが睨《にら》むと、ピエトロはビクッと身を竦《すく》めた。

「すんません……。その、傭兵団にもキッチリ報復しますんで……」

「方法は？」

「はい。こいつの身柄と交換するってことで、連中を憲兵に捕まえさせました。それで……」

「交換場所で待ち伏せ、一気に殺すのね？」

「さすがジャンヌ様。その通りです。うちの連中みんな集めたんで、ボチボチいい報告が聞けると思いますね」

「じゃあ、あまり時間がないわね」

ルミアは溜息混《ためいき》じりに言った。

そんな誰でも思い付くような方法でアスラを打ち倒せるはずがない。

傭兵団《月花《つきばな》》を潰せるはずがない。

「時間、ですか？」

「そう。時間がないの。もうすぐあなたたち死んでしまうもの」

ルミアが微笑むと、ピエトロの顔が真っ青になった。

「ジャンヌ様！　カジノの件なら、すぐに挽回《ばんかい》しますんで！　どうかチャンスを!!」

ルミアはピエトロを無視してお茶を一口飲んだ。

あんまり美味しいものだから、続けて飲んだ。

そしてティーカップを置く。

「わたしね、クズが嫌いなの。でも、殺さずに済むならその方がいいと思っているの。本当よ？　だから祈って。シルシィ団長がまだ生きていることを祈って」

「な、何かまずかった……ですか？」ピエトロがシルシィに視線を送る。「まだ死んではいないと、思いますが……」

「そう。生きているのなら良かったわ」ルミアが微笑む。「だったらお話をしましょうピエトロ。まずわたしは、あなたたちのジャンヌ様じゃない」

「……は？」ピエトロが目を丸くする。「でも、死の天使……」

「わたしは傭兵団《月花》のルミア・カナール。ジャンヌじゃないのよ。それでね、聞きたいことがあるのだけど、答えてくれるかしら？」

「いや、テメェ、ふざけんなよ！　傭兵団《月花》っったら、俺らのカジノ潰した連中じゃねぇか‼　おいこのアマぶち殺せ‼」

ピエトロが叫ぶと、近くの構成員が剣を抜いた。

「【神罰】」

ルミアが淡々と言った。

次の瞬間には死の天使が舞い降りて、剣を抜いた構成員を刻み殺した。

彼を構成していた数多《あまた》の肉片が床に散らばり、血の海を創造する。

「わたし、ジャンヌじゃないと言っただけよ？　死の天使がまがい物だと言ったかしら？　ねぇピエトロ。死体と話す趣味はないの、わたし。お話できるでしょう？」

そのすさまじい光景に、誰もが固まった。

まるで時間が止まってしまったかのように。

「……あ、あんた誰なんだよ」ピエトロが言う。「あんた、それ、ガチで死の天使じゃねぇか……。あんた、ジャンヌ様じゃないなら、マジで誰なんだよ……」

「すでに名乗ったわ」

ルミアが肩を竦め、天使が消える。

「それで聞きたいことなのだけど、あなたの上には誰がいるの？　嘘《うそ》を吐いたら殺すわ。言うのを戸惑っても殺す」

「……ゴッドハンド」

「神の手？　それはどんな役割？」

「俺らは、リトルゴッドは国単位の長だが、ゴッドハンドは地方単位の長だ……」

「じゃあ三人いるのね？　東と西と中央にそれぞれ？」

ルミアの質問に、ピエトロが頷《うなず》く。

「その上は？　もうジャンヌに辿《たど》り着くのかしら？」

「いや……ゴッドハンドをまとめてるのは、寵愛《ちょうあい》の子……」

「寵愛の子？　その子の情報を」

「……ジャンヌ様の寵愛を一身に受けているガキだ」

「もっと詳しくよピエトロ。お願いだから手間を取らせないで」

「クソッタレ、なんだってんだよクソ。寵愛の子の見た目は一四歳かそんぐらいの女だが、ゴッドハンドが言うには一七だ。んで、ジャンヌ様とだいたい一緒にいるってよ。一度だけ、珍しくゴッドハンドと一緒に会合に来てたのを見たが、小生意気そうなツラした赤毛だ。個人的に話はしてねぇ。声は可愛い感じで、小生意気そうな印象とは違って、微笑みながら労《ねぎら》ってくれた。俺個人じゃなくて、俺らリトルゴッドを、だけどな」

「赤毛で年齢より若く見えるのね？」

「クソ、髪の長さは肩ぐらい！　んで、腹が見えてる服！　変な服だ！　それしか知らねぇよ！」

「なるほど」

その少女について、ルミアはまったく心当たりがない。

そもそも年齢が合わないいし《宣誓の旅団》とは関係ないわね、とルミアは思った。

ピエトロがふぅーと長い息を吐き出す。気持ちを落ち着かせているのだ。

「……聞きたいことは、それだけか？　終わったなら、頼むから出て行ってくれ。シルシィも自由に連れて行っていい」

「まだよ。ゴッドハンドの名前を言って」

「東のしか知らねぇ……」

「いいわ。言って」

「ミリアム……ファミリーネームは知らねぇ」

「黒髪で背の高い女？　三〇歳を過ぎたぐらい？」

「なんで知ってる？」

ピエトロは驚いたような表情を見せた。

「ミリアムが《宣誓の旅団》のメンバーだったからよ」

「……あんた、《宣誓の旅団》なのか？　だったら、ジャンヌ様の部下だろ……」

「違うわ。わたしの上司はアスラだけ。他はない。わたしがかつて、《宣誓の旅団》だったとしても、今は違う。それでもまぁ、気にはなるわよね。ジャンヌの名前を出されたら」

ルミアは笑ったけど、少し虚《うつろ》な笑いだった。

「噂《うわさ》は聞いていたのよ。ジャンヌが犯罪組織を束ねてるって。でも、放っておいたの。だってそうでしょ？　ジャンヌの名は、今では大罪の象徴。忌《い》むべき者。犯罪者には都合のいい名前。でしょ？」

「ジャンヌ様が、騙《かた》りだってのか……？」

「でも、英雄たちまで疑って追っているとなると、信憑《しんぴょう》性が増すわ。そしてミリアム。ゴッドが本当にジャンヌかどうかは置いておいても、《宣誓の旅団》の関係者である可能性は高い。みんな散り散りになったけれど、今どうしているのか、時々は気にしていたの。犯罪組織に落ちぶれたのなら、とっても悲しいわ」

だからルミアはここに来た。

アスラよりも先に。

情報を得るために。

ピエトロは死ぬ。間違いなく。

アスラが絶対に殺す。絶対に。ルミアがピエトロと話す時間はまずない。

ルミアがピエトロから情報を引き出すには、アスラより先に聞くしかなかった。

「あんたは……昔の仲間に天誅《てんちゅう》を下す気か……？」

「どうかしら？　知りたかっただけなのかも」

「言っとくけどな」ピエトロがルミアを睨んだ。「あんただって落ちぶれてる。金と引き替えになんでもやる傭兵で、【神罰】振りかざして俺の仲間殺して、あんただって十分落ちぶれてんだよ」

「そうね」

ルミアは肯定した。

「わたしね、本当は【神罰】があまり好きじゃないの。アスラはわたしが忌み嫌っていると言ったけど、そこまでじゃないの。ただ好きじゃないだけ。だってみんな、死の天使を見たらわたしをジャンヌだと言うでしょう？　それに、つまらないの。みんなすぐ死んじゃうから、普段は使わないようにしてるの」

「やっぱ、あんたが一番落ちぶれてるぜ。戦闘好きの傭兵さんよぉ。《宣誓の旅団》はどう繕ったって戦闘好きの集まりってこったな。もう用がないなら消えてくれ」

「そう。戦闘が好きなのわたし。たまらないの。そんな自分を認めたくなかったし、認めなかったけれど。アスラは見抜いていた。わたしを愛しくもおぞましいと言ったわ。その通りね」

「おい！　自己陶酔ならどっか違うとこでやってくれ！」

「テルバエのテントに火を放った時、心が躍ったわ」ルミアはピエトロを無視した。「マティアスと対峙《たいじ》し、刃を交わした時には少し濡《ぬ》れたの。内緒よ？　純潔の誓いがなければ、わたしきっと酷いビッチだったわ」

「クソ！　なんだってんだよクソ！　最悪の日だクソ！」

ピエトロが顔を歪《ゆが》める。

ルミアを排除したいけれど、絶対にできないと理解している。

「それはまだよ」

ルミアは急に冷静に言った。

ピエトロが一瞬、呆《ほう》ける。

「あなたにとっての最悪は、これからやってくるの。もうすぐよ。わたしはそれを待っているの。それまで退屈でしょ？　だから話をしているだけ」

「何言ってんだあんた、あんたより最悪なもんがあるかよクソッ」

ピエトロは何かを殴りつけたい衝動を必死に抑えている様子だった。

「バカね。自分が誰を敵に回したかまだ理解していないのね。あなたが過去に引き裂いた者が、誰なのか分からないのね。可哀想。わたしはあなたが、心底可哀想」

「問答なら司祭とでもやってくれや！　頼むから出て行ってくれ！　お願いします！」

ピエトロは両手で拳を握り、小指側をテーブルに叩《たた》き付けた。

「事前情報をあげるわ。あなたはわたしを恐れているけれど、わたしはそれほど怖くないの。彼女に比べたら、わたしは日だまりで微睡む猫のようなもの。わたしが闇の中から這《は》い上がれた理由知ってる？」

「知ってるわけねぇだろ……」

ピエトロはきつく拳を握っている。

ストレスで死んでしまわないか、ルミアは少し心配した。

「もっと深い闇を見たからよ。本当の暗闇と一緒にいたから。それだけなの。その闇が、あなたを食べに来る。ほら、足音がするでしょう？　ほら、もうすぐよ。可哀想に。でも祈ってあげないわ。だってあなたは本当に酷いクズだもの」

ルミアの言葉が終わると同時に、誰かがドアを蹴破った。まぁマルクスだろうな、とルミアは思った。

そして予想通り、先頭で入ったのはマルクスで、その後ろに他の団員たちも続いた。

見張りの男たちは叫ぶ暇もなく殺されたのだとルミアには分かる。

「おや？　やっぱりいたか」

アスラがルミアを見て言った。

「ちょ、なんなのあれ……」アイリスが肉片を見て表情を歪ませる。「し、死体なの……？」

「あら？　アイリスも一緒なのね」

ルミアはあまり驚いていない。アイリスは監視役。一緒でもおかしくはない。

「こいつ、俺ら助けようとしたんっすよ？　笑えるっしょ？」

「……むしろ邪魔だったけど……」

ユルキがニヤニヤと言って、イーナは小さく肩を竦めた。

「だって待ち伏せされてたのよ⁉　シルシィ団長と交換って言ったのに、そんなの卑怯《ひきょう》でしょ⁉」

「ま、あの程度の連中なら素手でも問題なかったね」アスラが笑う。「私たちには魔法もあったし、それに武器は連中が揃《そろ》えていたから、途中で借りたしね」

「アサシン同盟の奴には逃げられちまったっすけど」

「副長、そこで倒れている女性はシルシィですか？」

マルクスは冷静に周囲を見回してから言った。

「そうよ。生きているみたいだから、連れて帰ってあげましょう」

「生きているなら、そうだね」アスラが言う。「えっと、フルマフィの連中はピエトロ以外は皆殺しにしていいよ。情報はもう、ルミアが全部聞いているだろうからね」

アスラはピエトロに視線を送ってから、ルミアの隣に座った。

アスラの視線で、団員たちはどいつがピエトロなのか理解。

そして部屋の隅で怯《おび》えていた残りの構成員たちを手早く始末。

「なんっすかこいつら、抵抗もないし、普通にもう戦意喪失してたっすね。これのせいっすか副長？」

ユルキが血溜《だ》まりに視線を送った。

ルミアは右手を上げてヒラヒラと振った。そうよ、という意味。正しく伝わったかどうかは分からない。

サルメとレコがシルシィに寄っていって、身体を揺すると、シルシィが小さく呻《うめ》いた。

マルクスがシルシィに自分のローブをかけてやる。

アイリスは壁にもたれるように立って、特に邪魔するでもなく成り行きを見ていた。

口を出さないのは、こいつらがクズだと気付いたか、あるいは単に鞭打《むちう》ちがこたえたのか。

「さてピエトロ。久しぶりだね。元気だったかい？　ああ、もちろんそうだろう。うちの副長が現れるまでは、という注釈が必要かな？」

「……誰だ、テメェは……」

ピエトロも戦意を喪失している。

自分が死ぬことを認識し、全てを諦めている。

「寂しいことを言うなよピエトロ。一〇年前にバカンスを楽しんだ仲じゃないか。ほら、思い出して。君たちはジャンヌ・オータン・ララを探して小さな村にやってきた」

アスラが言うと、ピエトロはハッとした表情を見せた。

それからすぐに顔面蒼白《そうはく》になって、小刻みに震え始める。

「あん時の……」

ピエトロは声も震えている。

「俺らを……俺らを……」

ピエトロの呼吸が荒くなって、ちゃんと息ができていない様子。

「どうしたピエトロ？　落ち着きなよ。大丈夫だから。ほら、深呼吸だ、深呼吸。息を吸って、それから吐く。分かるだろう？　やってみて」

ピエトロは言われた通りに深呼吸した。

それでも震えは治まらず、顔面も蒼白のまま。

「……俺らを……全滅させた……銀髪の幼児……？」

ピエトロが何を見たのか。

ああ、可哀想に、とルミアは思った。

誰だってそうなる。誰だってそう。

「厳密には違うだろう？　君らは二小隊一〇人と、中隊長が一人で、合計一一人だった。私が殺したのは九人だよ。君と、あの女中隊長は逃げたろ？」

だって、
三歳の幼女が、
兵隊を次々に殺していくなんて悪夢以外のなんでもない。

「……ああ、ちくしょう、本当に最悪の日だクソ……化け物みたいな女が来て、もっと酷いもんを連れて来やがった」

「失礼ね」とルミア。

「さぁ昔話をしようピエトロ。あの時の私が、まだ私が何者か知らなかった無垢《むく》な私が悲しくてたまらない。清算しないと今の私が感情に押し潰されそうなんだよ。前世じゃほとんど感情なんて存在しなかったこの私が、まさか感情に振り回されるなんてね。皮肉だよね。全てを忘れて平和に暮らしていたというのに、君が、君たちが私を蘇《よみがえ》らせてしまった」

三章　七話

昔話をしよう　胸くそ悪いから注意したまえ

一〇年前。

まだアスラが前世を思い出していなかった頃。

東フルセンと中央フルセンの境目に位置する小さな村。

自給自足が主で、戦乱とは無縁ののどかな村。どこの支配下でもない、独立した平和な村だった。

村の近くに小川が流れていて、アスラはよくそこで遊んだ。

ずっと平和な時間が流れ、アスラは愛されて育った。血を見るのは苦手で、喧嘩《けんか》をしたこともなく、優しい子供だった。

これからもずっと、この平和で愛しい日々が続くのだと、無垢《むく》にも信じていた。

でもある日、兵隊たちがやってきた。

「ジャンヌ・オータン・ララを匿《かくま》っていないか調べる。抵抗すれば我が国への叛逆《はんぎゃく》とみなして粛正する」

女中隊長がそう宣言した。

アスラはあとで知ったことだが、当時、虐殺を引き起こして逃走したジャンヌを、中央の色々な国が探していた。

共通の脅威として、一丸となって探していた。

兵隊たちは村中引っ繰り返して、そこにジャンヌがいないと分かったら、今度は村人を中央の広場に集めた。

村人の数はそれほど多くない。四〇人前後。本当に小さな村だったのだ。

「さぁお前ら、バカンスだ。私らはこのために兵隊やってるようなもんさね！　好きな女を犯して、日々の鬱憤《うっぷん》を晴らせ！　嬉《うれ》しいだろピエトロ・アンジェリコ小隊長！」

「はい中隊長！　自分は中隊長の配下で心から神に感謝します！」

そして兵隊たちのバカンスが始まる。

村の男たちが抵抗したが、あっさりと斬り捨てられた。

長く戦いとは無縁だった村。兵隊に勝てるはずがなかった。

「よぉし、私はそこの銀髪の男と楽しもう。すこぶるいい男じゃないか」

女中隊長に指名されたのは、アスラの父だった。

アスラの母は何も言わず、ただアスラの両目を塞いだ。

母のお腹の中には、アスラの弟か妹がいた。

「それはお前の娘か？」と女中隊長。

父が頷《うなず》く。

「目隠しをするな。見せろ。その方が私は燃える」

「頼む、それは勘弁してくれ」

父が懇願すると、女中隊長は嬉しそうに笑った。

「じゃあ娘の首が胴体から離れる。どっちがいい？　従えば、命までは取らない。私は《魔王》じゃないからね！」

母はアスラの目から手を離す。

「大丈夫だからね」と母は小さく呟《つぶや》いた。

アスラはただ怖くて、母にしがみついた。

そして目の前で父が犯された。

彼らは、彼女らは、心からバカンスを楽しんだ。

「俺、一度妊婦とやってみたかったんだ」

村の若い娘と楽しんだあと、ピエトロがアスラの母に目を付けた。

「おう、俺も俺も」

連中はアスラと母を引き離す。

アスラは「ママ！」と叫び、そして蹴飛ばされた。

「娘を傷付けないで！　なんでもしますから、娘を傷付けないで！」

まるで地獄だ。

アスラは泣いていた。怖くてたまらなかった。

この人たちは、どうして、こんなことをするの？

◇

アスラの瞳から、大粒の涙が零《こぼ》れ落ちる。

「団長……」

マルクスは何も言えなかった。

ただ動揺した。あのアスラが、あの団長が、泣くなんて。

アスラは自分が泣いていることにまだ気付いていない様子だった。

「ひっでぇなおい……」ユルキが言う。「俺は盗賊だったがよぉ、んなことはしなかったぜ……」

ユルキも動揺していた。

「まだ序の口だよユルキ」

アスラは小さく笑った。泣きながら笑っていた。酷《ひど》く心の痛む姿だ、とマルクスは思った。

「……団長が泣いてるの、見たかったけど……こういう意味じゃ、なかった……」イーナはピエトロを睨《にら》み付けている。「これだから……人間って嫌い……」

「……私は泣いているかね？」

アスラはやっと、自分が泣いていることを知った。

そしてアスラはローブで涙を拭いた。

「……酷い……あんまりよ……」

いつの間にか、アイリスがアスラの背後に立って、アスラと同じように泣いていた。

「続けよう……」

◇

快楽を貪った兵隊たちは、全員が弓に矢をつがえ始めた。

矢の先端に火を点け、村を焼き始めた。

「なんてことをするんだ！　家を焼かれたら、俺たちはどうすれば！」

アスラの父が叫ぶと、

「死ねばいいんじゃない？　結構良かったよあんた、もったいないけど、死ね」

女中隊長が笑いながらアスラの父を斬り殺した。

「さぁ！　人間狩りの始まりだよお前たち！　この村は、私たちが到着した時にはすでにジャンヌによって略奪されたあとだった！　そうだね⁉」

兵隊たちが一斉に村人を殺し始めた。

アスラの幼馴染《おさななじ》みも、近所のお兄さんやお姉さんも、誰も彼も、みんな叫んで、泣いて、そして死んだ。

助けて、助けて、助けて、神様！

アスラの目の前で、アスラを庇《かば》った母が剣に貫かれた。

「ママ……」

「……逃げて、アスラ……」

母から剣が引き抜かれる。

母は、最期に、
優しく笑った。

「いやー、こういう圧倒的に弱い奴らを嬲《なぶ》るのは最高だねぇ」

ピエトロがとっても楽しそうに言った。

そしてアスラを見て、剣を構える。

ピエトロがその剣をアスラに振り下ろす。

アスラはそれを躱《かわ》して、一目散に走った。

「お？　すばしっこいガキじゃねぇかおい」

ピエトロの言葉が背中越しに聞こえた。

アスラは燃えている自宅に駆け込んだ。

そして台所にあった果物ナイフを取る。

ナイフの刃に映った自分の荒《すさ》んだ目を見て、アスラは小さく嗤《わら》った。

「ふん、今の私に使えるのはこれぐらいか。まったく因果なもんだね。あれだけ怖かったこの状況を、懐かしいと思ってしまう」

アスラは思い出していた。

自分がかつて誰であったのか。

ナイフを持っていない方の手で、自分の胸に触れる。

そして今世で関わった人々を思い返す。

最後に父と母を想った。

母の笑顔が、死ぬ前にアスラに向けた笑顔が、アスラに生き残る力を与えてくれたのだと思った。

だってそれが引き金となって、前世を思い出したのだから。

それはこの世界に生まれた無垢なアスラから見たら、酷くおぞましい記憶。

けれど。

「クソどもが、私を怒らせたこと、この私を呼び覚ましたこと、後悔させてやる」

負ける気がしなかった。

ナイフを握る手は小さく、柔らかく、白い。

背丈は兵隊どもの腰にすら届きはしない。

それでも。

アスラは自分の方が強いという確信があった。

アスラは自宅を出て、索敵。

すぐに兵隊を発見。

音を立てないように背後から忍び寄って、膝の裏を斬り付けた。

兵隊は悲鳴を上げて、しゃがみ込む。

「背が低いから、そうしてくれると助かるよ」

ナイフを持ち替えて、しゃがんだ兵隊の喉を背後から切り裂いた。

今のアスラの腕力では、革の鎧《よろい》は貫けない。

だから最適解は首を狙うこと。確実に殺すにはそこだ。

アスラは慎重に各個撃破していった。

二人以上の兵隊たちは、まず一人の足を斬り付けて走って逃げる。

斬られていない方が追ってくるから、そいつを待ち伏せて始末。

それから、足を斬られて呻《うめ》いている奴を殺しに戻った。

九人の兵隊を殺したところで、もう村には誰もいないと気付いた。

あるのは死体だけ。

アスラは中央の広場に佇《たたず》み、

「すまない。もっと早く私が誰か思い出していれば、あんな奴らの好きにはさせなかったんだけどね」

村人たちに向けて言った。

「みんなの墓を作ってあげたいけど、見ての通り、私は三歳児でね。重労働すぎる。ごめんよ」

アスラは両手を広げて肩を竦《すく》めた。

「そうだ、歌を歌ってあげるよ。私の声、みんな好きだっただろう？　何がいいかな？　ロンドン橋が落ちた歌にする？　冗談さ。アメージンググレイスにしよう。いいチョイスだろう？　みんな願わくば、安らかに」

アスラはたった一人、燃える村で歌を歌った。

死体だらけの村で、歌を捧《ささ》げた。

と、無人の村に人間の気配を感じて振り返る。

女が一人、歩いていた。

村人ではない。

彼女は裸にマントだけ羽織って、右手で剣を引きずっていた。

「いい歌だ。知らない曲だが、釣られた。わたしはもう、神や運命を信じたくないはずなのに……呪い殺したいぐらいなのに、それなのになぜ、お前との出会いを天啓だと思ってしまうのか」

「神様なんて興味ないね。それより、この世界にも露出魔っているんだね。その下、裸だろう?」

「これは略奪?」

女はアスラの質問を無視して淡々と質問した。

「まぁ近い。バカンスかな。二人逃げられてしまったよ。残念。まぁ、いつかどこかで会えたら、その時に殺せばいいか」

「お前が略奪者を殺した? 信じられないな」

女の声は絶望を含んでいた。

声音で分かる。この女は、世界に絶望している。

「どっちでも。信じてくれとは言ってない。それより君、そうとう酷い目にあったみたいだね。ここより酷いかね?」

女の瞳は夜の闇のよう。暗くて濁っている。

「ある意味」

「そりゃすごい。私はアスラ・リョナ。君は?」

「……ルミア」

「ではルミア、君はたぶん私の敵ではないだろう。だから私を育てろ。見ての通り、大人たちは死んでしまった。私はまだ小さいから、一人で生きるには不都合が多い。君が私を育てろ。どうせ暇だろう?」

◇

重い沈黙。

アスラはグシグシとローブで涙を拭っている。

誰も何も言わなかった。

アイリスの小さな泣き声だけが響く。

「泣いているのは、私じゃないよ?」アスラが力なく笑った。「アイリスだよ。あと、私じゃなかった頃の私も泣いているかも」

小さい頃の、無垢だったアスラ。

「さぁピエトロ。女中隊長の名前を言え。君はもう、自分がどうなるか知っているだろう? 無駄に苦しむことはない。私は君とは違う。戦争は好きだが、平和なところにいる連中を理由もなく地獄に引きずり込みたいとは思わないし、拷問も目的があるから行うだけだよ。君が話せば、楽に死なせてあげるよ？」

アスラは立ち上がって、ルミアの背中のクレイモアを抜いた。

そしてピエトロの横に移動し、クレイモアを額の前で構える。

中央剣術の正統派。ルミアに教わった構え。

「待って、ねぇ待って」アイリスがアスラの肩に触れる。「あんた……アスラが酷い目にあったのは分かった。あたし、こいつらが酷い人間だってことも分かった。でも、それでもアスラ、復讐《ふくしゅう》なんてダメだよ……。復讐は何も生まないじゃない……」

「知ってる」アスラが言う。「でもやる」

「待ってよ！　ここで乗り越えなきゃ！　アスラ前に進めないよ!?　気持ちは分かるけど！　それでも！」

「うるさい!!」

アスラは振り返りながらアイリスにクレイモアを叩《たた》き付ける。

「お前に気持ちが分かるわけないじゃないか!!」

◇

アイリスは愛されて育った。

温かな家庭で、正義を教わって育った。

人を簡単に殺しちゃいけないということも教わった。

だから片刃の剣を選んだし、自衛のためでない限り、これは抜かないつもりだった。

「うるさい‼」

殺される、とアイリスは思った。

アスラの殺意は本物で、そして本物の殺意を叩き付けられたのは生まれて初めてのこと。

本能的に、アイリスは柄《つか》に手を置いた。

アスラがアイリスの首を叩き落とすよりも速く、アイリスは抜刀し、アスラの斬撃を受け止める。

「お前に気持ちが分かるわけないじゃないか‼」

英雄になったのは、自分が強かったのもあるけれど、みんなを守りたかったから。

人類を脅威から守りたかったから。

その中には、アスラ・リョナだって含まれている。

「待って！　落ち着いて！　ごめん！」

気持ちが分かる、と言ってしまったのは軽率だった。

アスラは我を失って、何度もアイリスを斬り付ける。

突然アスラの人格が変わったように見えて、アイリスは少し困惑していた。

それでも、アイリスはアスラの斬撃を全部ガードした。

やばっ、この子、普通に強いっ！

「地獄を見たことないくせに!!」

まるで小さい子の癇癪《かんしゃく》のように、アスラは泣きながら剣を振っていた。

◇

「止めた方がいいのでは？　団長は理性を飛ばしているようですが？」

「つか、団長強くねーっすか？　英雄圧倒してねーっすか？」

「……これ、最悪……殺しちゃうんじゃ……？」

「作戦行動中なのにね」ルミアは溜息《ためいき》を吐いた。「てゆーか、アスラが弱いわけないでしょ？　わたしが剣術教えたのよ？」

「副長、自慢気に言わないでください。まずいのでは？」

「さすがに、これでアイリス殺しちまったらどうしょーもねぇっすよ？」

「……取り乱した団長、初めて見た……」

アスラとアイリスは今もずっと斬り合っている。

アスラが攻撃して、アイリスが防ぐという構図。

「バカねぇ」ルミアがやれやれと首を振った。「今のアスラなんて少しも怖くないわ。ただわたしと同じぐらいの剣術を使うだけでしょ？」

「それは脅威ですが？」

「脅威っつーか、相手にとっちゃ悪夢だな」

「そうでもないわよ。普段のアスラなら、魔法を混ぜるし、他にも色々、周囲の道具を使ったり、トリッキーなことをするでしょ？　剣しか使わないなら、少しも怖くないわね」

「ああ、なるほど」マルクスが納得したように頷く。「団長は今、魔法兵ではなくただの剣士に成り下がっているわけですね？」

「そ。我を忘れて、今持ってる武器しか見えてないの」

「……それでも、アイリスより強くない？　……アイリス死なない？」

イーナが少しだけ首を傾げた。

「アイリスは英雄よ。最初の一撃を止めた動きができれば、負けないわよ。それに、ここでアスラを跳ね返せないなら、最初の《魔王》討伐で死ぬわ」

アイリスは本気じゃない。

いや、正確には本気なのだが、身体が強張っている。

本物の殺意に怯《おび》えていて、本来の力を出せていない？

あるいは迷っているようにも見えた。

「アイリスが闘気を使えるかどうかが、運命の分かれ道ね」

「闘気って、なんですか？」とサルメ。

「闘気は身体を巡って、本来の力を出させてくれるものよ」

「闘気放つと強くなる？」とレコ。

「違うわ。あくまで本来の力が出せるだけよ。例として、アスラの最大戦闘能力が一〇〇だとするでしょ？　でも、普段その力を全部出せるわけじゃない。コンディションもあるし、状況もあるし、最大の能力が出せるのなんて人生でほんの数分とかじゃないかしらね？」ルミアは淡々と言った。「でも闘気を使えば、常に一〇〇の力を出せるの。だからまぁ、元々が五〇の人なら、闘気を使っても五〇だから大したことないわね」

「やはり結局のところ、強くなるには日々の鍛錬ということでありますな。楽に強くなれると思うなよ、サルメ、レコ」

マルクスが言って、サルメとレコが頷いた。

「それに、俺らは基本的に闘気を使わねぇし、覚える必要もねーよ」

「……そう。あたしたちと、闘気は……相性最悪」

そして。

アスラとアイリスの戦いに変化があった。

「化けたわね」

「そうですね。これがアイリスの闘気ですか。荒々しいアクセルと違って、ずいぶん穏やかですが」

「あ、これもう団長無理っすね。やっぱ英雄強いわー」

「……あーあ、やっぱ英雄って……普通に戦ったら勝てないね……」

団員たちの壮大な手の平返しだった。

「あんたたちおかしい！　絶対おかしい！」
私基準なら、私たちは普通だよ？

アイリスは防戦一方の自分に腹を立てていた。
こんなんじゃ、誰も救えないじゃない。
こんなんじゃ、目の前で泣いてる女の子一人助けられない。
アイリスはアスラを救いたい。
復讐《ふくしゅう》という薄暗い場所から連れ出してあげたい。
余計なお世話だとしても、放っておけないのだ。
アスラがひとでなしに育ったのも、きっとピエトロたちの行為がキッカケ。
だから、
ただ、アスラを抱き締めて、もういいんだよって、そう言ってあげたい。
でもそのためには、まずアスラを倒さなくてはいけないのが現実。
救うために倒さなくてはいけない。
そういう現実も、有り得るのだと、アイリスは悟った。
だから。
迷ってはいられない。

アスラは強い。中央の正統派剣術を達人の域で使ってくる。

中央の剣は、横に振る動作が多い。

アイリスは剣を縦にしてアスラの横薙《な》ぎの斬撃を受け止める。

そして。

「ごめんね、軽いこと言って。あたし、悪気はなかったの。本当にごめんね」

まず自分の非を詫《わ》びた。

間違ったら謝る。基本的なこと。

でもアスラは謝罪を受け入れる様子はない。

「あたしが、アスラを助けてあげるからっ！」

アイリスは闘気を放って、自己最大能力を発揮。

アスラが剣を引くよりも圧倒的に速く、アイリスはアスラの剣を叩《たた》き落とした。

そのまま手首を返し、下から斬り上げるように剣を動かす。

そしてアスラの顎先で剣を止めた。

アスラは酷《ひど》く驚いたように剣先を見ていた。

「ははっ、ははっ。そうか。君は英雄だったねアイリス。それが君の本来の力か。将来の大英雄候補、さすがだね」

アイリスは剣を鞘《さや》に収めて、
ゆっくりとアスラを抱き締めた。

アスラは抵抗しなかった。

「もういいんだよアスラ。村の人たちは、きっと誰もアスラに復讐して欲しいなんて思ってない。アスラのお母さん、最期に笑ったんでしょ？　それって、生きて、どこかで幸せな人生を送って欲しかったからじゃない？」

「ふん。君はいちいち正論を言うね。私だってそうだと思っているさ。君、思ったより胸あるね。着やせするタイプかい？」

「え？」

「まぁいいさ。復讐が無意味だというのは、私も同意する。他にやるべきことがあるだろう、って話さ」

アスラはアイリスから離れて、自然にクレイモアを拾った。

「そう。前に進もうアスラ。あたしに何か手伝えることあったら言って？」

「君、本当にいい子だね」

アスラはゆっくりとピエトロの方に歩いた。

ピエトロはほとんど放心している。

「一応、女中隊長の名前だけは聞いておくよ。もちろん、進んで探す気はないけどね」

「……タニア・カファロ」

ピエトロは長く息を吐いた。

自分が殺されないと思って安心したのだろう。

「ありがとう」

アスラは自然に、座っているピエトロの胸にクレイモアを突き刺した。

その光景を、アイリスは理解できなかった。

だからなんの反応もできなかった。

「では死ね」

アスラがクレイモアを押し込む。

ピエトロはガクガクと小さく震え、何がなんだか分からないという表情で絶命した。

◇

プクーッ、とルミアが頬を膨らませた。

「試合形式みたいなのじゃなくて、本気の殺し合いだったら、アスラの方が勝つのよ？　わたしのアスラは強いのよ？　理性飛ばしてたから負けたのよ？」

「いや、副長、殺し合いで団長が勝つのは困るかと思いますが？　アイリスは英雄だから負けない、という風なことも言っていたかと」

マルクスは苦笑い。

「とりあえず一件落着ってことで、そこらの調度品、持って帰っていいっすかね団長」

「好きにしたまえ。けれど、半分は団の金にすること」

「ういーっす」

ユルキが機嫌良さそうに物色を始める。

イーナとレコもそれに続いた。

レコがサルメにも来い来いと合図して、サルメも物色に参加した。

「マルクス、いつも悪いんだけど、シルシィを運んでやってくれ」

「分かりました団長」

マルクスはまだ床に倒れているシルシィをお姫様抱っこする。

さっきの戦闘でシルシィを踏まなくて良かったとアスラは思った。

「あー、みんな聞いてくれ。分かっていると思うが、私は作戦行動中に暴走してしまった。命令違反のルミアと一緒に、私も罰を受けるから、何か考えておいておくれ」

「……あい」とイーナが嬉《うれ》しそうに返事をした。

「エロくてもいい？」とレコ。

「構わん。私とルミアが嫌がることならなんでもいい。ぶっちゃけ、普通にボコボコにされても、私もルミアも大して効かないからね。こんな時、拷問訓練が仇《あだ》になるよね」

「あら？　やっぱりわたしも罰を受けるのね……。全部上手くいったのに……。情報もちゃんと得たのに……」

ルミアは少し不満そうに言った。

「自分のための情報だろう？　私がいたら、私がピエトロと話してそのまま殺すから、先に会いに行ったんだろう？」アスラが苦笑いする。「私は君にどんな屈辱を与えてどんな痛みを与えるかずっと考えていたんだけど、まさか最後の最後に自分もやらかすとは思わなかったよ」

アイリスに敗北した時、幼いアスラは大人しくなって、
ピエトロが死んだ時に、幼いアスラは完全に鳴りを潜めた。

「ちょっと待ちなさいよぉぉ!!」

ずっと固まっていたアイリスが、突然叫んだ。

「なんで⁉　ねぇなんで⁉　なんであの流れでピエトロ殺したの⁉　てゆーか、なんで誰も突っ込まないの⁉　おかしいでしょ⁉　もう復讐は終わりっていう雰囲気だったでしょ⁉」

「いや、ピエトロは死ぬだろ普通」とユルキ。

「団長が殺さないなら自分が殺した」とマルクス。

「……アレは死んでいい……」イーナが言う。「……サッパリした……」

「わたしは最初からピエトロだけは絶対死ぬと思っていたから、アイリスがどうしてそんなに取り乱しているのか理解できないわ」

「団長いじめた奴は死ねばいい」とレコ。

「私もピエトロは死んでいいと思いました」

サルメが少し強い口調で言った。

「な、なんでよ⁉　なんでそんな当たり前みたいな空気なの⁉　あたしがおかしいみたいじゃない⁉　あたし、なんでアスラ抱き締めたの⁉　復讐やめて欲しかったからだよ⁉」

「第一に、私はピエトロを殺しに来たわけだから、目的を達成しただけだよ」アスラが肩を竦《すく》める。

「第二に、君は正しいし、優しい子だし、割と好きだよ。でも、君に従う理由はまったくない」

「従うとか従わないとかじゃなくて！」

「続きはまたにしよう。とりあえず撤収する」

アスラは面倒になったので、撤収準備を始めた。

◇

アーニア王国、貿易都市ニールタの憲兵団支部。

アスラがピエトロを殺した翌日。

「ありがとうございますアスラさん。わたくしを助けて頂いたことも、フルマフィを壊滅させてくれたことも」

シルシィはいつもの白い制服を着ていた。

しかし、顔にはガーゼと包帯。

たぶん制服の下も。

けれど、
ルミアが何時間かは回復魔法を使ったので、もうそれほど酷いケガというわけではない。

「私は君が辞めると思っていた。その制服を着て、私を呼び出したということは、まだ憲兵団長を続けるんだね？」

「はい。憲兵になった時、こういうことは覚悟していました。でも、ごめんなさい。あなたたちのこと、話してしまいました」

「いいさ。誰も怒ってない。君は拷問訓練を受けたわけでもないしね」

「ごめんなさい」

「そんなに気になるなら、貸しにしておく。いずれ返してもらおう。いいね？」

「はい。本当にごめんなさい」

謝りながら、シルシィは札束を執務机に置いた。

「約束の三万ドーラです。それと、アーニア国内での罪は免責。ユルキとイーナは手配書から削除しました。こちらも国内限定なので注意してください」

「どうも。また何かあれば声をかけてくれ。まだ数日はここに滞在する」

今日はオフで、明日は罰を受けて、それから少し訓練して、戦争の情報を集めて、それから国を出る。

「あ、忘れるところだった」

アスラはポケットから折り畳んだ紙を取り出す。

「ルミアがピエトロから引き出した情報だよ。各国の憲兵で共有するといい」

アスラは紙を執務机に置いて、代わりに札束を取った。

「はい。助かります」

シルシィはアスラの置いた紙を開いて、中を確認する。

「アスラさん……字、綺麗《きれい》ですね」

「あ、ああ、そうかね？」

最初にそれを言われるとは思わなかったので、アスラは面食らった。

「はい。しかし、《宣誓の旅団》のメンバーが……？」

「そうらしい。一〇年間しっかり鍛錬していたなら、そのミリアムという奴は普通に英雄並だろう
とルミアが言っていたから気を付けろ」

「分かりました。各国の憲兵に伝えておきます」

◇

中央フルセンの古城。

そこには肌を打つ音が連続して響いていた。

「ああ、ジャンヌ姉様、もう許してくださいませ！」

寵愛《ちょうあい》の子が、全裸でジャンヌの膝の上に乗って、お尻を叩かれていた。

ミリアムは寵愛の子が羨ましいと思った。

ジャンヌを前にすると、誰もが懺悔《ざんげ》したくなる。そして誰もが罰を与えて欲しくなる。

まるで神を前にしているかのように。

強烈な神性。

一〇年前のジャンヌは、ここまですさまじい神性を持っていなかった。

神性はあったけれど、神と混同するほどではなかった。

一〇年前、ジャンヌが有罪になった時に《宣誓の旅団》は解体され、メンバーは散り散りになった。

ミリアムは運良く、ジャンヌと再会できたのだが、ジャンヌはもう以前のジャンヌではなかった。

まず髪の毛が真っ白になっていて、大きく雰囲気が変わった。それから、喋《しゃべ》り方も変わっていた。

「ダメです。アーニア支部が壊滅しました。誰の責任ですか？」

ジャンヌはいつも黒い服を着ている。喪服のような、シンプルな黒い服。

ジャンヌの膝の上で涙を浮かべる寵愛の子は、セミロングの赤毛で、見るからに生意気そうな顔立ちをした女の子。

身体は鍛えているので、引き締まっているが、全体的にこぢんまりとしているので、一四歳ぐらいに見える。本人は一七歳だと主張していた。

寵愛の子の尻はすでに腫れ上がっているのだが、ジャンヌは許す気がなさそう。

「ああ、ティナ、あたくしはあなたを愛していますよ？　でも、ちゃんと答えないと酷いですよ？」

ジャンヌは少し怒ったような表情を作った。

でもジャンヌの瞳は少し潤んでいて、頬も紅潮している。

その表情が愛らしく、ミリアムはドキドキした。

「あの、ジャンヌ様」ミリアムが声をかける。「そもそも、アーニアはあたしの配下なので、罰を受けるならあたしのはずでは……？」

神性を持ったジャンヌの罰は、罪悪感を浄化する。本当に完全に罪の意識を消し去ってしまう。

だからミリアムは自分から罰を求めてしまう。

「ミリアムを含むゴッドハンドを束ねているのは、ぼくですわ」寵愛の子が言う。「ですので、最終的な責任は、全部ぼく……いだいっ！」

ジャンヌの平手が寵愛の子の尻に落ちた。

ちなみに、ジャンヌは古いが頑丈な椅子に座っている。その椅子には背もたれも肘置きもない。

簡素な椅子だが、それはジャンヌが《宣誓の旅団》の頃から使っている物。

「そうですね。あたくしが不祥事を起こした者全てを罰して回るのは大変です」

「はいですわ……」

「ティナ、あたくしはあなたを本当に愛しているのです。ちゃんとお願いできますね？」

「……姉様、どうか、ぼくを罰してくださいませ……」

寵愛の子が、罰の再開をお願いする。

しばらく尻を叩く音だけが響く。

そしてやっと、寵愛の子が気絶してジャンヌは叩くのを止めた。

本来、平手で尻を叩かれたぐらいで人間は気絶しない。

けれど、ジャンヌは闘気を用いて自分に出せる限界の力でずっと叩いていたのだ。

そこらの村娘なら、一〇打も保《も》たないだろう。

それを寵愛の子は五〇打以上耐えた。

普通の女の子に見えるのに、なぜ寵愛の子はあんなに頑丈なのだろう？　とミリアムは思った。

「少々、手が痛みます」

ジャンヌは自分の右手を左手で撫《な》で始めた。

ジャンヌ・オータン・ララの本気の打擲《ちょうちゃく》。

そんなに全力で叩いていたら、自分の手のダメージも大きい。

「大丈夫ですかジャンヌ様。寵愛の子も、起きた時には罪悪感が消え、あなたに感謝すると思います」

ミリアムは知らない。

寵愛の子が日常的に虐待されていることを。

寵愛の子に罪悪感などもう長いこと存在していない。

つまり、寵愛の子は痛みしか受け取っていないのだ。

日常的に愛を囁《ささや》かれながら、当たり前のように理不尽な暴力に晒《さら》されているだけだと、ミリアムは知らない。

「そうですね。みんなそうです。何か報告があるのでしょう？」

「あ、はい。アーニア支部を壊滅させた傭兵《ようへい》団《月花《つきばな》》ですが、その中に一人、ルミアを名乗る者がいます」

「続けて」

ジャンヌの表情が変わる。

「中央の剣術を使い、戦争に長け、魔法を使う。茶色い髪で、美しい女性だそうです」

「彼女は【神罰】を使いましたか？」

「それは分かりません。その報告はありませんし、【神罰】はジャンヌ様の魔法では？」

一〇年前、【神罰】を使えたのはジャンヌただ一人。

ジャンヌは急に薄暗い目でミリアムを見据えた。

「【神罰】改め【神滅の舞い】」

漆黒の翼を翻し、目が覚めるほど美しい堕天使が舞い降りた。

「ミリアム。あたくしは神など信じない。もしも神があたくしの前に現れたなら、八つ裂きにします。そんなあたくしが、神の罰など使うはずがない。そうでしょう？」

堕天使はいつの間にかミリアムの前にいて、
闇の色をした剣でミリアムの肩を貫いた。

ミリアムは痛みに呻《うめ》き、膝を突く。

「はい……すみません」

「分かればいいのです。あたくし、あなたのことは別に愛していませんので、あまり怒らせると殺してしまいますよ？　だから気を付けてくださいね」

堕天使が消える。

寵愛の子が羨ましい、とミリアムは思った。

ジャンヌに愛されていて、羨ましい。

「近く、彼女に会いに行きましょう」ジャンヌが言う。「あたくしの姉妹なら、彼女を救ってあげなくては」

「分かりました。ルミアだったらいいですね。生きていて欲し……」

「ミリアム」

ジャンヌが表情を歪《ゆが》め、左手で自分の顔を覆った。

「なぜそう、あたくしを怒らせるような発言ばかりするのです？　彼女が死ぬわけがない。死んでいるわけがないでしょう？」

「す、すみません……あたしはただ……」

「死にたいのですか？」ジャンヌは酷い形相で言った。「それとも、あたくしの罰が恋しいのですか？」

「いえ、あたしは……」ミリアムは少し迷ってから言う。「はい……恋しいですジャンヌ様……」

最後に罰を受けたのは二年ほど前だろうか。すでにミリアムの心には新しい罪悪感がいくつも芽生えている。

浄化して欲しい、と願う。

一度あの憑《つ》き物が落ちるような素晴らしい感覚を味わってしまうと、癖になる。定期的にそれが欲しくなる。まるで麻薬のように。

「いいでしょう……」ジャンヌが小さく息を吸った。「傷の手当を済ませて、服を脱いであたくしのところへ。でもその前に、ティナを降ろすのを手伝ってください」

ジャンヌは不安定だ。ずっとそうだった。

あどけない子供のような仕草を見せたり、いきなり恐ろしい表情をしたり、なぜ怒ったのか分からないようなことで怒る。

ああ、でも。

そんなジャンヌ様が愛しい。

ルミアとアスラ 年月はゆっくりと浸食し、緩やかに君を変える

「チクショウ、みんな殺してやる……」

酒をたらふく飲んだルミアは、テーブルに突っ伏して言った。

ここはとある町の場末の酒場。

客のガラは悪く、店内も清潔とは言いがたい。部屋の隅には蜘蛛《くも》の巣が張っているし、テーブルと椅子も年代物。

「あーあ、また始まったよ。君が酷《ひど》い目に遭ったというのは何度も聞いたけど、復讐《ふくしゅう》なんて人生の浪費だね」

まだ四歳のアスラが言った。

アスラはテーブルに座って食事を摂っていた。椅子に座ると届かないのだ。

「うるさい……お前だって、村をあんな風にした連中を殺したいだろう?」

「そりゃ殺すさ」

「ほら見ろ」

「当たり前だよそんなの。でもさ、私はわざわざ探したりしない。私には私の人生がある。それもきっと素晴らしく楽しい人生がね。よって、復讐のためなんかに生きたりしない。偶然、たまたま、連

中が私の視界に入ったら、その時は淡々と殺すけれど、ね」

「ガキのくせに達観していて気持ち悪い。いざその時になって取り乱しても、わたしは助けないからな」

ルミアは突っ伏したまま、顔だけをアスラの方に向けた。

アスラはすでにナイフとフォークを使いこなしている。

「私が取り乱すわけないいね。それより、君は一年間、私を見捨てず育てたし、これからもそれを続けたまえ。復讐より私の方が大事だろう？　そして君の戦闘技術を余すことなく私に伝えろ」

「……本当、生意気なガキだな」

「いずれ成長したら、私の持っている技術も教えてあげるから」

アスラは四歳とは思えないぐらい、多くのことを知っている。

ルミアは酒を飲もうと瓶に手を伸ばしたが、もう空だった。ルミアは緩慢な動作で起き上がり、瓶を壁に投げようとした。

アスラがサッと動いてルミアに抱き付いた。

「大きな音を立てるな。また追い出されてしまう」アスラが言う。「というか、君は少し荒れすぎている。たまには笑え」

「笑えない。笑い方を忘れた」

ルミアは瓶をテーブルに戻した。

そしてアスラをギュッと抱き返す。その温もりが、ルミアをギリギリで引き留めている。人類全部をぶち殺してやりたいという衝動から、ルミアを守っている。

「じゃあ明日、花見にでも行くかい？　桜が見頃だろう？」

この世界にも桜があったことを、アスラは嬉《うれ》しく思った。

「そんな気分じゃない」

「そうかい？　和むと思ったけど、まぁいいか。ではスキップしたまえ」

「はい？」

「スキップしながら悲観的になれる人間はあまり多くない」

「……まぁそうだろうな」

ルミアは溜息《ためいき》を吐いて、アスラを床に下ろし、そしてまた机に突っ伏した。

「おやすみのキスをしてあげよう」アスラが言う。「いい夢が見られるように」

アスラは椅子に登り、テーブルに登り、ルミアの額にキスを落とした。

ルミアはスヤスヤと寝息を立て始めた。

そうすると、さっきからアスラたちの方を窺《うかが》っていたチンピラたちが寄ってくる。

チンピラの一人がサッとアスラの口を塞ぎ、抱きかかえる。

（やれやれ。別に叫んだりしないさ。君らが私を狙っていることは気付いていたし、実験にちょうどいい）

チンピラたちは急いで酒場を出て、自分たちのアジトへと走った。

◇

「いいかい？　君たちは私に感謝しなくちゃいけない」

拉致された先で、アスラは淡々と言った。

ここはチンピラたちのアジト。まぁアジトと言っても、普通の民家だ。特に種も仕掛けもない。強いて特徴を挙げるなら、ちょっと広いかなという程度。

その民家のリビングに、アスラは連行された。

「よく喋《しゃべ》るガキだな」

チンピラたちのリーダーが酒を飲みながら言った。

リーダーはソファに座って、足をテーブルに上げている。

「怖くないの？」

チンピラ女が苦笑いしながら言った。

女はリーダーの隣に座って、ベタベタとリーダーに触っている。

「別に？　それより君たちがなぜ私に感謝するべきなのか話そう。大事な話だよ」

アスラは特に拘束されているわけでもないし、普通にソファに座っていた。リーダーの対面にあるソファだ。

アスラ以外にも子供が三人いて、リビングの隅の方でガタガタと震えている。拉致されたのだと考えなくても分かる。

「言ってみろ」とリーダー。

この家には現在、アスラが確認できただけでも七人のチンピラがいる。リビングにはリーダーを含めて三人。

「うん。私は世界を救っている」

アスラが言うと、チンピラたちが顔を見合わせて爆笑した。

リーダーは自分の太ももをバンバン叩《たた》きながら、これでもかと笑った。

「英雄ごっこかよ」アスラを拉致した赤毛のチンピラが言う。「喜べガキ、ヴァイノ様は正真正銘の英雄だぞ！」

ちなみに赤毛はアスラの隣に座っている。

「元、だ」

チンピラのリーダーであるヴァイノが肩を竦《すく》めた。

「そうかい。そりゃ良かった。まだ若そうに見えるけど、引退したのかい？」

歴史上、英雄の称号を剝奪された元英雄は一人しかいない。ルミアにそう聞いた。

だから、元英雄と言えば基本的には引退した英雄のこと。

まぁ、ヴァイノの言っていることが事実なら、だけれど。

「おう。魔王戦で膝をやっちまったんだ」

「へぇ。でも元英雄なら、たとえ膝をやっていても、彼女の前に一〇秒は立っていられるだろうね。彼女が君を殺そうと決めてから一〇秒だよ？」

「誰のことだ？」赤毛が笑いながら言う。「酔い潰れたママのことか？」

「彼女について話そう。私が世界を救っているという話とも繋《つな》がるから」アスラが淡々と言う。「彼女は実は全人類を殺したいと思ってるんだよね」

アスラの言葉で、チンピラたちが再び爆笑。

「笑っちゃうだろう？　でも、彼女にはそれができてしまう。今すぐってわけじゃ、ないけどね。一〇年も鍛錬を積めば可能だろうさ」

「そりゃすっごいわ！」

女チンピラが腹を抱えて笑った。

みんなが笑うものだから、釣られてマッチョのチンピラがリビングを訪れた。

「しかしね、人類が死滅したら私は将来、誰と戦争を楽しめばいい？　そんなわけで、私は彼女の関心を人類絶滅から私に移そうと絶え間ない努力をしているってわけ」

アスラが肩を竦めた。

「このガキ、何言ってんです？」

さっき来たばかりのマッチョが言った。

「知らねー」ヴァイノが笑う。「でも超面白いぜ？　見てくれもいいし、頭もいい。売るのは止めて俺らの下に付けるか？」

「ふむ。私の保護者になるってことかね？」

「そう言ってるんだ」

「うーん。それをね、今ね、彼女で実験してるんだよ」アスラがニヤニヤと言う。「彼女は果たして、私に関心があるのかどうか。助けに来るのか否か。私の絶え間ない努力は実を結んだのか。彼女は私の保護者として、新しい人生を歩めるのか否か」

ルミアはアスラを見捨てるのか。それとも。

「おいおい、酔い潰れたママが来たってどうにもならねーだろうが！」赤毛がケタケタと下品な笑みを浮かべて言う。「まぁ美人だし、来たら来たで楽しむがな！」

「彼女は強いよ」とアスラ。

「元英雄のヴァイノ様に勝てるわけないっしょ！」

女チンピラがヴァイノを見ながらウキウキで言った。

「さっきも言ったけど、それが事実でも一〇秒だと思うよ。彼女の前で息をしていられる時間」

「そいつは愉快だなぁ」ヴァイノが言う。「おい。ママも連れて来いや」

「え？　でも大人だぜ？」

「酔った女だろーが。行け」

ヴァイノに言われて、赤毛が酷く嫌そうな表情を浮かべた。

まぁ、大人の拉致はリスクが上がる。それに経験もないのだろう、とアスラは思った。

要するに、こいつらは子供を拉致して売るしか能がない。

「その必要はなさそうだよ」

アスラが言うと、大剣を持ったルミアがリビングのドアのところに立っていた。

ちなみに、リビングのドアは開けっぱなしだった。

「ほう。剣士か」

ヴァイノが値踏みするようにルミアを見た。

ルミアの頬は赤く、まだ酔っている。

「アスラ」ルミアが怖い顔で言う。「知らない人について行くなと、わたしは何度も言ったはずだ」

「おいクソアマ、ここがどこか分かってんのか？」

マッチョがルミアに寄っていく。

「ママー、助けてぇ、乱暴されるぅ、ってね」

アスラが茶目っ気たっぷりに言った。

次の瞬間、マッチョの首が飛んだ。

正しくは、ルミアが斬ったのだ。ほとんど無造作に。蚊を払うように雑に。

マッチョの頭が床を転がって、やっとチンピラたちはルミアを敵として認識した。

「集まれぇぇぇ！」

ヴァイノが叫び、家中からチンピラたちが集結した。

ただし、集結したそばからみんな死体になった。

リビングに入ると同時にルミアが斬って殺したから。

チンピラたちの死体だけがそこに積み重なった。

そこにはなんの感情もない。ルミアはただ殺していた。

殺しを楽しむでもなく、悲しむでもなく、まるで訓練された兵士のように淡々と。

ああ、訓練された兵士だったか、とアスラはニヤニヤと笑う。

「やるじゃねーか！」

ヴァイノが立ち上がり、ソファに立てかけていた剣を抜く。

ルミアは死んだ魚のような目でヴァイノを見ていた。

「返り血すら浴びず、か」アスラが言う。「さすがだね。ところで、そいつ元英雄らしいよ？」

「えい……ゆう？」

ヒクッとルミアの頬が動く。

「おうよ！　俺は元英雄のヴァイノ様だ！」

ルミアはヴァイノをジッと見詰めた。

そして。

「魔王退治には参戦したか？　どこで英雄になった？　東？　西？　いつ英雄になって、いつ引退した？」

「前回の魔王退治に参加したぜ。俺は東の英雄だ。引退したのはつい最近さ！」

ヴァイノは淀《よど》みなく言った。まるで用意していたかのように。

くはは、とルミアが笑った。

酷くおぞましく、底の深い闇のような笑い方だった。

ヴァイノは恐怖で身体がビクッとなる。

「貴様ごときが英雄だと？　ならばわたしは大英雄だ！」

ルミアは笑いながら言った。凶気を含んだ壊れた笑い。

「な、なんだお前……」

ヴァイノは怯《おび》えながらも疑問を口にした。

「知りたいのか？　知らないほうが幸せかもしれんぞ」とルミア。

「知ったら失禁するに一〇ドーラ」とアスラ。

「『宣誓の旅団』」

ルミアの正体に、ヴァイノは心底驚いた。赤毛と女チンピラも驚いている。

「【神罰】」

ルミアは大剣を持った天使を顕現させた。

その瞬間、ヴァイノは剣を落として震え始めた。

赤毛と女チンピラはアスラの予測通りに失禁。

「死、死の天使……」

ヴァイノも失禁。

まだまだこの頃はホットな話題だったのだ。というか、大虐殺からまだ一年しか経っていないし、ジャンヌの捜索もまだ続いている。

死の天使【神罰】は、大虐殺を引き起こしたジャンヌは、魔王に次ぐ恐怖の対象。

「ジャンヌ……ジャンヌなのか」赤毛はガタガタと震えている。「許してください、知らなかったんです、許して……」

「わたしはルミアだ！」

ルミアが叫ぶと、天使が赤毛を斬り刻んだ。

「おお、サイコロステーキ並にバラバラだね！」

アスラが楽しそうに言った。

「た、助けてぇぇぇ！」

女チンピラが窓に向かって走った。

しかし天使が一瞬で回り込んで女チンピラを細切れにする。

「バカか？」ルミアが暗い顔で言う。「なぜ『宣誓の旅団』だと明かしたと思う？　なぜ【神罰】を見せたと思う？」

少し間を置いて、ルミアはニヤァっと笑った。

「生かしておく気がないからだ！」

ルミアの声で、天使はヴァイノを三枚に下ろした。

「何秒だった？」とアスラ。

「何が？」

「君がそいつを殺すと決めてから、そいつが死ぬまでの時間」

アスラの質問に、ルミアは少しだけ考えた。

「分からないけど、一秒以内だろう」

「元英雄というのはやっぱり嘘《うそ》だったね」

「そうだろうな」

ルミアが子供たちに目をやると、子供たちは泣き出した。

「子供たちも殺すのかい？」アスラが言う。「君の正体を知ってしまったよ？」

ルミアは天使を消して、大剣も背中の鞘《さや》に仕舞う。

「子供の言うことなど、誰も信じない」

「それもそうだね」

「行くぞ」

ルミアが踵《きびす》を返してリビングを出る。アスラもあとに続いた。

アスラはリビングを出る時に「逃げろ」と子供たちに声をかけておいた。

アスラとルミアは民家を出てしばらく歩く。

桜が綺麗《きれい》に咲いている一角があって、ルミアはふと立ち止まる。

「確かに和むな……」

「そうだろう？　空を見ると更にいい気分になれるよ」

アスラが言って、ルミアが空を見上げた。

アスラも見上げる。

そこには綺麗でまん丸な月が浮かんでいた。

星の海に浮かぶその月は、優しい輝きを放っている。

酒の肴《さかな》に良さそうな月だ、とアスラは思った。

「いい月だ」

ルミアがアスラに手を伸ばした。

その時に一陣の風が吹いて、桜の花びらが舞った。

月明かりの下で風に踊る花びら。

「綺麗だ」とルミアが言った。

「そうだね。私らの新しい門出に相応しい」

「門出？」

ルミアが首を傾げた。

「うん。君はどうやら、これからも私を育てる気があるようだからね」

アスラはいい気分でルミアの手を握る。

「わたしはそんなに無責任じゃない」

「そうか。そりゃ助かる」

アスラはルミアの手をギュッと握った。

（さてさて、実験は大成功。さすが私。次は壊れた心の修復だね。人類を皆殺しにされちゃ困る。けどまぁ、これは時間が一番のクスリかな？　私と楽しい親子生活を続けていれば……）

「わざと攫《さら》われただろう？」

ルミアが咎《とが》めるように言って、アスラは思考を中断。

「おや？　気付いたかね？」

「もちろんだ。わたしはそんな間抜けか？　攫われた瞬間からコッソリ追っていた」

「君が助けてくれるか知りたかったんだよ」

「そうか。もうやるな。わたしは眠かったんだ」

「そうだね。悪かったよ。宿に戻ろう」

アスラが言って、ルミアが頷《うなず》いた。

◇

ルミアがアスラを育て始めて約三年が経過した頃。

ルミアたちは街から街へ、国から国へとフラフラ生活をしていた。

ここはある街の宿屋の庭で、ルミアは木剣を振ってアスラを攻撃していた。もちろん本気の攻撃ではなく、剣の稽古の一環である。

今日はよく晴れていて、もうすぐお昼ご飯の時間帯。

ルミアの攻撃を、アスラも同じく木剣でガードしたり逸らしたりしている。

「成長速度が速すぎる」

剣を振りながら、ルミアが呟《つぶや》いた。

「そうかな？　全然身長が伸びなくて私としては少し悲しいけれど」

言いながら、アスラは自身の周囲に土を固めた団子をいくつか浮かべる。土属性の攻撃魔法だ。

アスラはその土団子を順番に飛ばしてルミアを攻撃。

ルミアは少し引きつりながら全て回避。

前に甘く見て当たったら、死ぬほど痛かったのだ。

あらあら、土団子だなんて子供ね、なんて思っていたら、それは鉄みたいに強固に固められていた。

土属性は基本属性の中で一番の外れ属性と言われていたのだけれど。

「身長じゃなくて戦闘技術」

ルミアは淡々と言って、少し速く踏み込んだ。

もうすぐお昼だし、これで終わり、と思って剣を横に振った。

しかしアスラはそれを回避。

ルミアは酷く驚いた。躱《かわ》せるほど手加減していない。

「そっちも満足できるデキじゃない」

アスラが言って、少し笑った。

笑ってくれたおかげで、ルミアは何かあると思って振り返ることができた。

そうすると、さっき躱したはずの土団子が高速で飛来している最中だった。

「油断も隙もないっ！」

ルミアは土団子を木剣で全て叩き落とした。

その隙に、と攻撃したアスラの斬撃もついでに逸らしてから距離を取る。

「ふむ。さすが元……」

「やめろ」

ルミアが強く言うと、アスラは肩を竦めた。ルミアの正体を誰かに知られてはいけない。

アスラもそのことを分かっているはずなのに、時々こうやってわざと言おうとする。

「わたしが本当に復讐と決別できたか試しているのか？」

「違うよ」とアスラが苦笑い。

「嬢ちゃん、お昼の時間だぞ！」

宿屋の主人が中庭に出て来た。

食堂に昼食を用意したから早く食え、という意味だ。

長期宿泊契約をした時に、朝飯と昼飯の提供を約束して貰《もら》ったのだ。もちろん割増料金である。

ちなみに夕食は好きな物を作るか、買うか、とにかく自分たちで用意するようにしている。

アスラは笑顔を浮かべ、「わーいお昼だぁ！」と子供のようにはしゃいだ。

宿屋の主人がアスラを見て微笑む。

「嬢ちゃんは将来、英雄にでもなるのかい？　毎日稽古してるけど」

「どうかな！　まだ決めてないよ！」

アスラはニコニコとまるで天使のように言って、小走りで宿屋の主人の側まで移動。

ああ、これが全部嘘だなんて、宿屋の主人は夢にも思わないだろうなぁ、とルミアは思考した。

子供のようにはしゃいだのも、天使のような笑顔も、将来を決めていないという言葉も、何もかもが嘘。

アスラの嘘は、嘘を吐いていると知らなければ見抜けない。そういうレベルに洗練された嘘。芸術的でさえある。

ちなみにだが、ルミアも未だに時々は騙《だま》される。

末恐ろしい。

ルミアは思う。この子を、このまま育てていいのだろうか、と。

ルミアはすでにアスラが普通じゃないことを理解している。それも、悪い方に普通じゃない。

出会った当時は闇落ちしていたはずのルミアが、マトモになるぐらいアスラはイカレていた。

アスラの人格がヤバすぎて、マトモにならざるを得なかった。

成長し、戦闘能力を得たアスラは傍若無人で悪逆非道。

我が儘《まま》で自分勝手で、他人の命を屁《へ》とも思っていないのは当然として、自分自身が傷付くことすら楽しんでいる。

邪悪に微笑む姿はまるで魔王のようで。

「お母さんも、ボーっとしてないで飯の時間だぞ」と宿屋の主人。

「ああ、頂く」

ルミアはぶっきらぼうに言ってから、主人の方に歩く。

主人は肩を竦めて「嬢ちゃんの母ちゃん、美人だけど怖いな」と笑った。

「ママはもう少し愛想よくした方が生きやすいと思うよ！」

アスラが弾んだ声で言った。

「お前の愛想が良すぎるんだ」

ルミアは溜息混じりに言った。

仮初《かりそ》めの親子関係だけれど、最近は少し楽しくもある。だから、結局ルミアはアスラを育て続けるのだろうと思った。

◇

更に四年後。

ルミアとアスラは山でサバイバル訓練を行っていた。

この訓練はアスラの考案。山で生活することによって、不屈の精神や生き抜く力、冷静な判断力が手に入る。

あと、なんでも食べられるようになる。

ルミアは焚《た》き火で炙《あぶ》った蛇の肉を食べながらそんなことを思った。

今は暑い時期の昼過ぎ。

天気が良くて時々穏やかな風が吹いている。山の緑の香りが心地良い。

けれど、すでに訓練は三日目に入っていて、ルミアは薄汚れていた。それすらもう慣れたけれど。

ちなみにアスラは一人で獲物を探して山奥に入っていった。別に心配もしていない。この訓練自体、もう何度目か分からない。

少し休んだら木の実でも集めようかしら。

そんなことを思いながら地面に転がると、アスラが木の上にいた。

「……何してるの？」とルミア。

「うん。君のことを脅かそうと思ったんだけど、見つかってしまったね」

アスラが木から飛び降りる。

アスラが右手を持ち上げると、そこには死んだウサギがいた。

アスラが狩ってきたのだと、ルミアにはすぐ分かった。

「こいつを上から落とそうと思ってたんだよね」

「なんのために……？」

「言っただろう？　脅かそうと思って」

「ああ、そう……」

ルミアは寝転がったまま言った。

アスラは時々、不測の事態を起こしてルミアの反応を見ている。

アスラはウサギを地面に置いた。

「見せたいものがあるから来ておくれ」とアスラ。

ルミアが起き上がると、アスラがスタスタと歩き始めた。

溜息を一つ吐いてから、ルミアはアスラに続いた。

しばらく進むと、山賊たちが根城にしている洞窟があった。

どう見ても山賊です、という風体の見張りが二人立っている。

「あらあら、山賊がいたのね、この山」とルミア。

「山賊のいいところはね、報奨金が貰えることと、連中の集めた金品を奪えるってこと」

「アスラは金品を奪うのが好きね」

「傭兵団《ようへいだん》を作る資金にするからね」

この頃のアスラは将来を見据えて金を集め始めていたが、もちろん訓練もサボっていない。

「どうしてそんなに傭兵がやりたいのかしら？」

「最近の師匠は言葉使いが柔らかくなったね。何度も愛想を良くしろと言った甲斐《かい》があるってもんだね」

長い年月をかけて、ルミアは言葉使いを変えた。

「そうね。矯正されて良かったと思っているわ」

「そうだろう？　それと、善人の振りをするのはいいけど、私にはしなくていい」

「わたしは善人だわ」

ルミアは心からそう思って言った。

なんせ、ルミアの目の前に真の悪がいるから。山賊のことではなく、アスラのこと。

「あ、うん……」アスラが小声でボソボソと言う。「ちょっと育成に失敗したかな……。闇落ちは困るけど、光落ちも困る……。いや、私の団の良心として、使えるか……」

「……ちょっと、聞こえないわ」

「なんでもないよ」アスラが笑顔を浮かべる。「質問に答えよう。どうして傭兵がやりたいか、って質問ね」

「聞きたいわね」

「言ったと思うけど、前世でも私は傭兵だった」

「ええ、そうね」

半信半疑ではある。だってアスラは嘘が上手だから。

「私は傭兵の息子として生まれ、小さい頃からＡＫ担いで親父殿にくっついて戦場を回った。親父殿は団長で、死んだあとは私が引き継いでね」

「過去と同じ道を歩みたいの？　別の道を行きたいとは思わないの？」

「思わないね。だって戦争って楽しいだろう？」

ニタッと笑ったアスラの表情があまりにも暗すぎて、ルミアは少し引いた。

「傭兵団って言っても非合法の武装勢力で、でもだからこそ自由で、楽しかった。忘れられないんだよ、傭兵の楽しさを」

「分からないわ」

「嘘吐《うそつ》きめ。君だって戦場を駆け回っていたくせに」

「わたしはアスラとは違うわ。大義のために戦っていただけよ」

「その嘘をいつまで続けるのやら」アスラが肩を竦めた。「まぁいいか。とにかく私はね、人生を楽しみたいんだよ。でね？　魔法のある世界に生まれたからには、魔法を軸の一つとして戦う傭兵団を作りたいってわけ」

アスラは以前から魔法の戦争利用を真剣に考えていた。

「難しいわね。固有属性を得たとしても、わたしみたいに戦闘向きかどうか……」

「私は土属性でさえ上手く使っただろう？」

アスラがニヤッと笑う。

「例えばだけど師匠、固有属性が花だった場合はどうだろう？」

「花？　まったくこれっぽっちも使えなさそうね」

なんで花なのだろう、とルミアは思った。

「ほら見てて」

アスラがパチンと指を弾くと、空から沢山のピンクの花びらが降った。

ルミアたちの上にではなく、見張りに立っている山賊二人の上に。

二人は何がなんだか分からず、ただヒラヒラと舞う花びらを見ていた。

「嘘でしょ？　アスラ、その歳で固有属性を得たの？」

「まぁね」

「本当にすごいわ。でも、花びらを生成したからって、なんになるの？　結婚式でなら役に立つとは思うけれど」

「爆発する花なら？」

「花は爆発しないわ」

「いいや、花は爆発するんだよ師匠。魔法ってのは師匠や他の人たちが考えているよりずっと自由なんだよ。認識と観念と想像力の問題さ。次は攻撃魔法を見せよう」

アスラがパチンと指を弾くと、さっき舞っていた花びらが消える。

代わりに二枚の花びらがヒラヒラと見張り二人の頭に落ちた。

その花びらは見張りの頭に接触した瞬間、爆発した。

威力としては、頭が吹っ飛ぶ程度。

それは人を殺すには十分すぎる威力。

「……花が爆発したわ」

「言っただろう？　花は爆発するんだよ」

「その辺りの理解は置いておくわ」ルミアは諦めた。「ともかく、恐ろしい魔法ね。暗殺にも向いているわね」

「設置型の罠《わな》としても使えるんだよね。かなり便利さ」

アスラが笑った。

本当に恐ろしい子だ、とルミアは思った。

「まぁこっちは結婚式では使えないけどね」アスラが片手を広げる。「新郎新婦を血塗《ちまみ》れにしたいなら別だけれど」

「血塗れの結婚式なんてゴメンだわ」

ルミアが肩を竦めると、そのタイミングで山賊たちがワラワラと洞窟から出て来た。
「さぁ、未来の傭兵団の資金を回収するよ」
アスラがさっさと飛び出して山賊たちを攻撃し始めた。
体術と魔法を織り交ぜた攻撃で、魔法戦士と呼んでも差し障りない。
「ああ、違うわね、確か……」アスラが言っていた理想の戦闘スタイルを思い出しながらルミアが言う。「戦士ではなくて兵士だったわね。そう、魔法を主力武器の一つとして扱う兵士。魔法兵」
アスラはいつか、この世界の主流の戦い方を変えてしまうだろう、とルミアは思った。
それを誇らしく思う自分に、ルミアは少し苦笑い。
アスラがどれだけ危険でイカレた人間でも、
ルミアは親として師匠として、
すでにアスラを愛しているのだから。
あの日アスラと出会ってから一年は、少しも笑えなかったはずなのに。
今のルミアは柔らかい微笑みを浮かべ、
スキップするように軽やかに、
アスラを手伝うために飛び出した。

あとがき

物語の内容に合わせた後書きにするか、今まで通り食べ物の話にするか、あるいはアスラに後書きを乗っ取らせるか、少しだけ迷った葉月双《はづきそう》です。

みなさんどうも。

アスラは「私が乗っ取ったら後書きまで殺伐としてしまうよ？　食べ物の話でバランスを取りたまえ。あるいは猫の話でもいい」と言っていました。

結論、やっぱ食べ物だよなぁ！

私はラーメンがすごい好きなんですけど、豚骨系は食べられなかったわけですよ。

そう、今までは！

今はですね、醤油豚骨《しょうゆとんこつ》が食べられるようになったので（しかも美味いと感じる）通える店が増えて超嬉《うれ》しい！

この喜びは共有しておく必要がある、と私は感じましたね。ビンビンにね。

それはそれとして、ツイッターもやっているので、良かったらフォローしてください。あんまり多くは呟《つぶや》かないですけど……。

◇

謝辞について語ろう。

まず編集の藤原《ふじわら》様、この物語を好きになってくれてありがとうございます。

改稿はすんなり上手くいった部分もあれば、かなり悩んだ部分もありましたね。

あと、「その案いーやーだー」と言う私を宥《なだ》めるのは大変だったことでしょう。

とはいえ、終わってみればかなり良くなったんじゃないかと。

次にイラストレーターの水溜鳥《みずためどり》先生、本作のイラストを担当してくれてありがとうございます。

アスラとか私のイメージのまんまで、本当に嬉しかったです。

イラストが上がる度に、編集の藤原さんと二人で「素晴らしい！　実に素晴らしい！」とキャッキャしてました。（これ言っていいのか？　まぁダメなら消えてるだろう）

更に宣伝部のみなさま。素晴らしいＰＶを作ってくれると聞いています。よろしくお願いします。

未来の私が「ありがとうございます」と言っています。（この時点ではまだＰＶを見ていない）

本作を銀賞に選んでくれた審査員の皆様、ありがとうございます。

刊行されるまでに関わってくれた多くの方々にも感謝しています。

そして、読者の皆様！

初めて本作を手に取ってくれた方も、連載当初から見守ってくれている方も、本当にありがとうございます！

それでは二巻でお会いしましょう！

DRE NOVELS

月花の少女アスラ

～極悪非道の傭兵、転生して最強の傭兵団を作る～

2023年4月10日　初版第一刷発行

著者　葉月 双

発行者　宮崎誠司

発行所　株式会社ドリコム
〒141-6019　東京都品川区大崎2-1-1
TEL　050-3101-9968

発売元　株式会社星雲社（共同出版社・流通責任出版社）
〒112-0005　東京都文京区水道1-3-30
TEL　03-3868-3275

担当編集　藤原大樹

装丁　木村デザイン・ラボ

印刷所　図書印刷株式会社

Printed in Japan
ISBN978-4-434-31838-2

ファンレター、作品のご感想をお待ちしております。

右のQRコードから専用フォームにアクセスし、作品と宛先を入力の上、コメントをお寄せ下さい。
※アクセスの際に発生する通信費等はご負担ください。